D0626244

LES TRAVAUX DE PHILOCRATE BÉ
DÉCOUVREUR DE MOTS

Les travaux de Philocrate Bé découvreur de mots suivis d'une biographie d'icelui

textes de

Jean-Noël Blanc, Roland Bourneuf, Nicolas Dickner, Vincent Engel, Christiane Lahaie, Anne Legault, Claire Martin, Sylvie Massicotte, Pierre Ouellet, Gilles Pellerin, Marc Rochette, Lori Saint-Martin et de membres de l'Association Guyane-Québec

avant-propos de
Hélène Pagé

MUSÉE DE LA CIVILISATION
L'instant même

Maquette de la couverture : Isabelle Robichaud

Illustration de la couverture : Marc Lincourt, *Les très précieuses pierres d'Évigure*, 2000
Techniques mixtes, 71 × 213 cm.

Photocomposition : CompoMagny enr.

Distribution pour le Québec : Diffusion Dimedia
539, boulevard Lebeau
Saint-Laurent (Québec) H4N 1S2

L'instant même
865, avenue Moncton
Québec (Québec) G1S 2Y4
info@instantmeme.com
www.instantmeme.com

Musée de la civilisation
85, rue Dalhousie
C.P. 155, succursale B
Québec (Québec) G1K 7A6
www.mcq.org

ISBN 2-89502-145-7

Dépôt légal – 4e trimestre 2000

Données de catalogage avant publication (Canada) :

Vedette principale au titre :

Les travaux de Philocrate Bé, découvreur de mots ; suivis d'une biographie d'icelui

Publ. en collab. avec : Musée de la civilisation du Québec.

ISBN 2-89502-145-7

I. Littérature francophone – 20e siècle. 2. Littérature belge (française) – 20e siècle. 3. Littérature française – 20e siècle. 4. Littérature canadienne-française – 20e siècle. 5. Littérature guyanaise (française) – 20e siècle. I. Blanc, Jean-Noël, 1945- . II. Musée de la civilisation (Québec).

PQ3809.2.T72 2000 848'.910808 C00-941692-7

L'instant même remercie le Conseil des Arts du Canada ; le gouvernement du Canada (Programme d'aide au développement de l'industrie de l'édition) ; la Société de développement des entreprises culturelles du Québec ; le gouvernement du Québec (Programme de crédit d'impôt pour l'édition de livres – Gestion SODEC).

Le Musée de la civilisation est subventionné par le ministère de la Culture et des Communications.

Nous remercions M. Martin Leblanc pour sa participation de tous les instants à la réalisation de ce livre.

Avant-propos

S'il est un lieu où la mémoire importe, c'est assurément le musée. On y conserve témoignages et traces. On tente d'y décoder le parcours des objets, de reconstituer l'histoire, ou les histoires, de retrouver l'origine pour comprendre ce qu'il en est d'aujourd'hui, ce qu'il en sera de demain ; c'est aussi le lieu où l'on secoue des certitudes illusoires.

Pour le Musée de la civilisation, l'aventure d'une langue, vivante de surcroît, s'avère tout à fait pertinente à cet exercice d'exploration. Et l'exposition Une grande langue : le français dans tous ses états *participe de cette intention. Aussi est-ce avec enthousiasme que le Musée s'est associé aux éditions de L'instant même pour retrouver les traces du découvreur de mots Philocrate Bé. Dans le monde de la muséologie n'y a-t-il pas une rumeur voulant que ce paléographe se cache derrière de prestigieuses expositions de par le monde ? Lui qui, plutôt que de scruter les mots dits et écrits, cherche entre les lignes non pas ce qui a été mais ce qui sera avait de quoi enthousiasmer tous les chercheurs de sens fréquentant musées et littérature.*

Il est possible qu'au terme de ce projet l'on ne sache toujours pas ce qu'il en est de l'influence réelle de cet éminent et énigmatique linguiste sur le monde de la muséologie. Mais nous en saurons sans doute plus, je le souhaite, sur son impact dans l'histoire de la langue ou à tout le moins sur la création littéraire ! Ne l'oublions pas, les musées sont aussi lieux de plaisir.

Hélène PAGÉ
Directrice
Service de l'action culturelle et des
relations avec les musées québécois
Musée de la civilisation

Mot de l'éditeur

Il est paradoxal de constater à quel point nous en savons peu sur la vie d'un des plus grands découvreurs de mots qui ait été. Le catholicisme, si ardemment pratiqué lors des années d'apprentissage de Philocrate Bé, professait que l'on périt par là où l'on a péché. Le cas de Bé – qui, sur la liturgie, la sagesse populaire, l'exégèse, la vulgate et l'herméneutique des évangiles apocryphes, eût pu en remontrer à bon nombre de prêtres – illustre à merveille la formule : lui que passionnait l'onomastique, au même titre que tous les volets de la lexicographie, la sémantique, la philologie et les autres sciences du langage (anciennes et modernes), lui qui vous donnait longuement la main quand vous vous présentiez à lui, en soupesant nom et prénom, paume contre paume, il semble que l'on ait tout oublié de lui, ses travaux, sa contribution au français comme langue de savoir, de plaisir, de jouissance, tout : jusqu'à ses nom et prénom.

Maintenant que sont rassemblés ici, pour la première fois, les rares textes de Philocrate Bé qui aient échappé à la mesquinerie de chercheurs moins doués et revanchards, le public lettré pourra soupçonner (à défaut de la mesurer) l'importance de l'œuvre d'un pionnier, notamment par ce qui nous fait encore défaut et dont il imaginera sans mal l'ampleur. En soient remerciés les collaborateurs et amis de ce personnage, unique[1] *dans nos annales, qui ont accepté de nous parler de lui ou de porter à l'attention générale des documents qu'ils avaient en leur possession.*

Où que vous soyez, quoi que vous soyez devenu, sachez, cher Philocrate Bé, qu'en Belgique, en France, en Guyane, au Québec vous avez été estimé et aimé.

Et détesté.

L'éditeur

1. C'est en raison de la capacité de Bé à tout mettre en œuvre pour déceler le trait singulier, l'exception qui confirme la règle, de sa propension à l'absolu que nous osons utiliser ce terme à son propos.

La filière auvergnate

Roland Bourneuf

Je viens de recevoir par la poste une liasse de feuilles manuscrites avec ce mot :

« Cher ami de passage. Vous avez peut-être gardé en mémoire notre rapide mais cordiale rencontre dans le train. À mon retour au Québec j'avais pour dessein de rédiger les résultats des recherches qui m'ont conduit en votre belle province natale. Mon état de santé ne me le permet pas, et peut-être l'entreprise même serait-elle vaine. Je me contente donc de vous adresser ces pages impromptues à peine élaguées. Si elles sont assurément peu conséquentes, elles peuvent présenter quelque intérêt pour vous. Soyez indulgent : vous y trouverez inexactitudes et à-peu-près. Il faut les attribuer à la brièveté du séjour de leur auteur en vos terres et à l'objet de sa quête, plus qu'à ses préjugés. Je m'y suis efforcé à la plus grande justesse dont je suis capable dans les limites de mes moyens. Le Talmud dit : « égaux celui qui fait peu et celui qui fait beaucoup, pourvu seulement qu'ils dirigent leur cœur vers le ciel ». Avec mes hommages reconnaissants.

Philo B. »

En ces temps où l'oubli est si aisé et l'indifférence une règle, je crois opportun de conserver une trace de la passion d'un homme libre et de diffuser dans le public ses réflexions.

R. B.

* * *

Voilà maintenant trois jours que j'ai quitté mes terres laurentiennes et franchi les mers pour venir installer mes quartiers dans ce village le plus central de l'antique Massif central. Motif : un mot.

Dans cette « Auberge des Mimosas », pas l'ombre, bien sûr, d'un mimosa. Mais le beau soleil du début de l'été inonde tôt ma chambrette et les draps gardent leur senteur suave d'avoir séché en plein vent. De ce village qui n'est plus la plaine et pas encore la montagne, j'ai vue sur les proches vergers, quelques vignes, les champs de blé et de colza et, au loin, deux ou trois buttes couronnées de ruines féodales. Si je gravis les premières pentes, j'entre sous les châtaigniers, débouche sur des étendues de bruyères et de genêts, prélude aux bois sombres de résineux d'où sortent en chaîne les cônes volcaniques – les fameux puys.

Le patron arbore de redoutables moustaches celtiques, mais dans son œil je vois plus de bienveillance un peu matoise que de férocité. Quant à la patronne, je la crois très près de ses écus. Elle aime prendre des airs, elle me donne du « monsieur Philebert » par-ci, du « monsieur Philabeur » par-là. Au demeurant, fort brave personne.

Pour les clients, un habitué, un M. Thomas, mélancolique quinquagénaire, représentant en produits pharmaceutiques, qui entre dans l'auberge et en sort à toute heure. Un jeune couple – elle, pas laide du tout – qui déjà s'ennuie de dîner en tête-à-tête. Une ou deux familles à marmaille pataugeant dans le carré de sable à longueur de journée. Trois sœurs en âge canonique viennent d'arriver avec d'énormes valises. J'ai entendu le patron qui se les coltinait rognonner dans l'escalier. La clientèle a de ces exigences... Voilà donc pour le contexte humain.

Pourquoi ce lieu, quelles voies m'y ont conduit ? En quelques mots, une combinaison de savants recoupements et le pif. Quand je me mets en chasse, tel le braque bleu d'Auvergne, c'est le nez qui me mène. J'ai rarement eu à m'en plaindre.

J'essaye en ces pages de mettre un peu d'ordre dans les impressions profuses que, délicieux vertige ! m'apporte le début de cette villégiature. Un journal intime ? Fi donc de cette littérature nombriliste et des épanchements sirupeux qu'elle véhicule ! Elle écœure, diraient mes compatriotes. En fait, elle n'a pas sur moi le même effet physiologique : elle me hérisse le poil. En langue verte, ça me débecte. Tout comme cette littérature de déconstruction tellement à la mode et d'une sinistre grisaille. Le siècle, et le millénaire qui a jeté ses dernières lueurs, n'ont-ils pas assez démoli, détruit, déstructuré, déchiqueté, dépecé ? Que diable, redressons, relevons, restaurons, ou plutôt construisons !

Un carnet de route alors ? La chronique d'un veilleur ? Un journal de bord – ou plutôt de fouilles ? Et puis peu importe les arguties sur le genre littéraire – cette frivolité. De toute façon, quelle que soit la forme de mes griffonnages, le destinataire et le destinateur ne font qu'une seule et même personne. Votre serviteur, Philocrate Bertichaux.

Ici je me fais connaître sous le nom de Phil Ber. C'est plus court et moins voyant. Je préfère ne pas trop livrer de ma provenance et de l'affaire qui m'amène dans la région. Un certain goût de l'incognito et du mystère : ne pas trop attirer l'attention. Mais je ne jurerai pas qu'au fond de moi je ne cherche pas le résultat contraire... Enfin, conserver toute ma liberté de manœuvre.

Occasion de ramasser des souvenirs anciens, aussi. À la petite école, pour nous faire connaître de la maîtresse, nous nous levions à l'appel de notre nom. Vint mon tour. J'entendis alors derrière moi un « Bertichaux-artichaut » avec des gloussements étouffés. Il me fallait donc régler la question dans les meilleurs délais. À la récréation j'interpellai l'humoriste. Je lui signalai l'anémie de son invention verbale et lui recommandai de garder l'usage de son esprit pour de meilleures occasions. Nous nous empoignâmes. L'affaire fut chaude. J'appliquai quelques beignes bien senties sur la tête de mon interlocuteur. Il en eut le nez comme du coulis de framboises. Quand je revins à la maison, ma mère fit observer (sans trop hausser le ton) que je ne manquais jamais une chance de me distinguer. Quant à mon père, je crus remarquer dans son regard une certaine fierté amusée. Je rapportais en effet un œil au beurre noir mais j'avais mérité la paix des braves.

Je note à ce propos la place que tiennent dans le discours les produits comestibles. Si vous voulez faire du dégât chez l'adversaire, vous pouvez lui faire parvenir une pêche, une châtaigne, un pruneau – qu'il recevra sur le cassis, ou en pleine poire. Sans parler, bien entendu (mais nous ne sommes plus ici au pur niveau métaphorique), de l'usage connu de la tomate, de l'œuf (pourri de préférence), de la tarte à la crème ou de la noix de coco. Que de ressources gustatives dans le champ verbal de la pugilistique et de la balistique !

De mon patronyme, nul autre responsable que la lignée familiale dont les origines se perdent, non pas dans la nuit des temps, mais il y a quelques générations dans quelque campagne des vieux pays. Le grand-père Bertichaux était bien connu pour son humeur nomade et, tout comme les rares écus qu'il réussissait à gagner, volage. Un jour il s'embarque à bord d'un terre-neuvier, on perd sa trace, il réapparaît, çà et là. Dans l'Ouest il construit des voies ferrées, sans doute pour aller plus loin. Au Klondike il constate que, pas plus qu'en Europe, les pépites ne poussent sur les arbres. Et ceux des Pays-d'en-haut sont vigoureux, les terres dures à essoucher. Ça met du cal dans les mains, ça rapporte à peine de quoi acheter un peu de bagosse et, à l'occasion, aller voir les créatures. Mais là-dessus on a tiré un voile pudique. Afin que l'honneur de ses fils – dont mon père – n'en soit pas trop terni.

Les fils en question ont trimé dur, mais mon père devait être – oh ! sans cultiver son rôle – un peu mouton noir. Aujourd'hui on dirait marginal. Fabriquer de la pâte à papier dans les moulins mauriciens lui agréait peu. Il tâta de la pêche en Gaspésie, mais quand la morue se fit rare, il ouvrit un petit négoce de produits de l'érable. Cela assurait des loisirs saisonniers qu'il sut harmonieusement distribuer entre la lecture des auteurs grecs, la musique ancienne et le noble jeu d'échecs. Curieux assemblage, n'est-ce pas ? Je le voyais souvent le nez dans les livres, et de plus en plus près à cause de sa myopie grandissante. Il ne lisait sans doute pas Homère dans le texte mais il apprit du grec par lui-même – le curé de la paroisse qui n'avait pas dépassé le latin de son bréviaire en restait soufflé. Ce qui le passionnait, nous disait-il à table, c'était les racines (et il ajoutait ce mot impressionnant et obscur : les étymologies). Quant à la musique, il pratiquait non pas le ruine-babines et les cuillères, ni le violon des violoneux, ni la cornemuse pour laquelle il nourrissait une aversion particulière, mais le fifre qui ne lui cédait guère en aigreur pour les interminables sons filés. Quant aux autres instruments, il devait recourir aux planches illustrées de son dictionnaire. On le comprendra : nos campagnes laurentiennes n'offraient pas tous les jours des concerts de cromorne, saqueboute et trompette marine. Je soupçonne mon père d'avoir préféré à ces prestigieux et hypothétiques instruments les noms qui les désignaient. Et puis, à défaut de partenaire sous la main, il se plongeait dans les problèmes d'échecs, la tête dans les mains, notant, tâtonnant, combinant. C'est ainsi qu'il dut tomber un jour sur cette famille Philidor qui s'illustra à la fois dans la musique et dans les échecs. Il nous en parlait avec des trémolos dans la gorge. Il s'en cachait à peine, il aurait souhaité devenir le fondateur d'une dynastie aussi favorisée des muses. Ma mère, qui était la patience et la tolérance faites femme, aurait désiré que sa lignée (moi-même plus précisément) s'illustrât dans la médecine. Je compris plus tard qu'elle me voyait grand patron admiré d'une vénérable Faculté. Philidor ou Hippocrate ? À mon baptême, le prénom de Philocrate parut un très acceptable compromis.

Pour ce qui est de leurs ambitions respectives quant à mon destin, les « povres » comme disent les gens d'ici... Ils durent vite déchanter. Passons. Je n'entreprends ici ni ma confession ni mes mémoires. Je me réclame cependant avec fierté de l'héritage patriarcal linguistico-nomade.

Les trois sœurs ont entrepris de me faire les yeux doux. Sans doute cherchent-elles un porteur pour une prochaine excursion. Non, merci. Bonne journée, mes jolies. Pour l'excursion je préfère ma propre compagnie. Je pars donc à pied et à l'aventure, yeux et oreilles en éveil. Ces maisons tassées dans le village ou dispersées à flancs de coteaux : du massif, du solide, du granit. Non pas les cubes en bois à peine posés sur le sol laurentien, tout prêts à démolir avant qu'on les remplace. Il est vrai que les pavillons en parpaings passe-partout sont d'une distinction et d'une originalité qui n'ont rien à envier à nos bungalows ! Jour après jour donc, j'inventorie et récapitule le paysage. Les vignes où les ceps commencent à pousser leurs sarments. « Je vous ferai goûter un petit rosé du pays, m'a promis le patron. Vous m'en direz des nouvelles. » Je flâne autour des pêchers et pommiers. « Vous n'avez pas d'aussi bons fruits chez vous... » Et les châtaigniers ? « Non, pas les marrons d'Inde, ça c'est pour le décor des boulevards dans les villes ! » Je suis les courbes de niveau ou bien je grimpe plus haut vers les sapins. Alors, là, les grands espaces où je me sens devenir lyrique : ces plateaux herbus, ces cônes volcaniques, les cratères découpés net comme s'ils venaient tout juste de servir... Où trouver cela ailleurs ? Ce ne sont plus les croupes usées du bouclier huronien dont nous parlent les géologues. La marche n'est pas aisée en ces solitudes, il y faut de bons brodequins, la vipère hante les bruyères serrées et vous vous tordez les chevilles dans les amoncellements de scories.

Mes jambes me portent loin, et quelque autocar relie les villages. Souvent un automobiliste complaisant me propose de faire un bout de route avec lui. Ainsi je fais connaissance avec de braves cultivateurs qui vont dans leurs champs à bord d'une antique et increvable Citroën, avec le facteur ou le vétérinaire. Mon accent les intrigue visiblement, mais quand je leur ai indiqué ma provenance ethnico-géographique, leur curiosité est satisfaite. Ils m'entretiennent alors avec abondance et éloquence de l'hiver trop froid qu'ils ont eu, de l'été trop sec qui compromet les récoltes, du gouvernement, ces incapables, qui ne fait rien pour les aider, du marché commun qui va les ruiner, de l'équipe régionale de foot qui n'a rien fait cette année encore. « Et la jeunesse, monsieur, ils ne pensent qu'à s'amuser, ils ne veulent pas travailler. Je ne sais pas comment c'est chez vous, mais ici... »

Ici, c'est également le bureau de tabac qui fait aussi café, en plus des deux autres bistrots porte à porte. L'épicerie-boulangerie fermera bientôt parce que la clientèle va faire son marché dans l'un de ces mastodontes commerciaux en train de coloniser toute la planète. Le matin je vais acheter le journal – je croyais y trouver une provende lexicale originale, plutôt décevant –, pour les nouvelles locales et un peu pour les autres. Je dis au buraliste : « Tiens, hier dans la mer du Nord, naufrage d'un traversier. » Il me regarde, l'œil rond. Je montre la photo. « Ah, monsieur veut dire un ferry-boat... »

Il commence à me connaître, le brave homme à la mine fleurie, comme les piliers du comptoir qui pinardent dès l'ouverture de l'établissement. « M'sieu-dames ! Alors, ce matin, un petit rouge comme d'habitude ? » Je crois que bientôt ils vont m'en offrir un : je serai alors vraiment adopté, moi l'exotique.

Passé le premier moment de méfiance mâtinée de curiosité, les langues se délient et les portes s'ouvrent. Au cours de mes randonnées il m'arrive ainsi d'être invité à « boire un verre » à la ferme. On me montre avec fierté les étables à stabulation libre où les vaches piétinent à loisir leur paille, la trayeuse électrique, les hangars avec le tracteur, les herses, faneuses, arracheuses de pommes de terre. Je désigne un amas de jougs, licols, brancards. « Ça c'est des vieilleries... Maintenant on est équipés comme en Amérique. » Nous entrons dans un atelier plein de machines électriques, et dans un coin je distingue des outils qui me sont inconnus. « Le pépé était sabotier... j'ai gardé ses rabots, ses gouges... » On m'introduit dans la maison d'habitation toute rénovée. L'épouse passe en hâte un beau tablier fleuri. « Goûtez-moi cette petite prunelle. Pas piquée des vers, hein ? » Ou bien on me sert un dé à coudre de la liqueur d'or, amère et sucrée, tirée de cette plante qui porte un si joli nom : la gentiane. On me montre sur le buffet parmi les bibelots de quatre sous une petite tasse presque plate d'argent ciselé. « Le tassou du pépé qui faisait son vin, voyez ses initiales. Maintenant la vigne ici, ça n'en vaut plus la peine. Le vin, il vient de l'étranger ! » On me reconduit à l'auberge avec force amabilités, à moins que je choisisse de rentrer à pied quand le soleil est moins brûlant.

Ainsi j'étends mon champ d'action et d'exploration. Je quadrille, je flâne, je baguenaude, je hume, j'écornifle selon mes humeurs et celles de la température – mais je ne me perds pas de vue ! Je scrute les cartes d'état-major. Quelle densité dans tout ce pays, et pour moi qui viens des vastes espaces laurentiens, quelle exiguïté ! La toponymie y est, comme partout dans l'Hexagone, fort inventive, avec une remarquable concentration des finales : Sarcenat, Ennezat, Nébouzat, Barnazat – un mauvais farceur ajouterait que cela fait vraiment bougnat, fouchtra ! Cela fait surtout bien planté dans la terre, cela colle aux sabots !

Je m'initie aux particularités et productions régionales. Que ne vantent pas, sous toutes les latitudes, les guides, prospectus, dépliants – que mes compatriotes s'obstinent à nommer « pamphlets » alors qu'il ne s'agit pas de dénoncer mais de louer ! J'ai ici le choix. Le plomb argentifère (les mines sont fermées depuis belle lurette), l'améthyste (maintenant importée du Brésil), les pâtes de fruits (au moins aussi sucrées que le rahat-loukoum), le caoutchouc (usines mondialement connues – bien connues aussi des riverains pour le parfum que dégage la combustion des vieux pneus). Mais surtout – et alors j'applaudis des deux mains – la cochonnaille dans tous ses états, hautement prisée : le boudin aux pommes, l'andouillette grillée, le jambon cru délicatement fumé. Le patron des Mimosas en connaît là-dessus un rayon. Et soucieux de l'honneur et de l'intérêt de la maison, il me fait l'éloge des pâtisseries de la patronne. Le clafoutis aux cerises, la tarte aux reines-claudes, mais ce n'est malheureusement pas la saison. « Mais quand vous reviendrez... »

Comme ressource linguistique il me faut évidemment chercher ailleurs (encore que le parler du patron ne manque pas de saveur). Peut-être les aînés, ce vieux chaussé de sabots de bois qui somnole sur le seuil de sa maison. Quand je le salue il me répond d'un coup de casquette et m'adresse un discours un peu crachotant. J'ai d'abord cru qu'il s'agissait d'un sabir personnel ou local. Renseignement pris, c'est du patois. Oui, la langue d'oc, ma sœur, quelle douceur ! Si elle n'est pas morte, elle agonise. Au fait, comment nommer ceux qui la parl(ai)ent ? les patoiphones ? Mon vieux en sabots, un survivant. Je le mentionne au patron. « Ah, le père Julien... il est sourd comme un pot. Et soit dit entre nous, un peu fêlé ! » Je ne sais pourquoi, là-dessus, j'ai dressé l'oreille.

Et *le* mot dans tout cela ? Je me fais l'effet de ces néoromanciers qui, après deux cents pages de flazouillage, n'ont accouché que de la première phrase de leur histoire. Mais mon histoire à moi, je suis bien dedans, et j'y suis comme un poisson dans l'eau !

Je remarque seulement que mon expédition ici me donne un singulier plaisir de la parenthèse, de la digression, de l'incise et du retour au déluge. Pourquoi donc m'en priver ? Et ces méandres font partie de ma méthode – si tant est que je puisse me réclamer d'une méthode. Je me suis toujours déclaré *urbi et orbi* empiriste amateur et content de l'être. Le système, fort peu pour moi. La clôture du discours : à sauter par-dessus. La sémiotique : morne plaine où souffle une bise aigre. Moi, j'ai besoin de sentir le fumet des mots, aromatique comme celui d'un civet aux olives.

Ainsi je pourrais interroger directement, mais je m'en abstiens. Il me semble que je serais déçu si je parvenais droit au but. J'aime jouer avec moi-même à « c'est chaud-c'est froid ». Donc prendre mon temps, voire différer. D'abord battre les buissons. Repérer les tenants et aboutissants. D'aucuns diraient : établir le contexte. Ma méthode emprunte à l'école où les gamins s'instruisent en n'y allant pas. Et ce n'est pas seulement l'école qui devrait l'être, buissonnière, mais la vie elle-même !

Je me dis parfois que des informateurs, des indicateurs me seraient utiles. Je me tance : des indicateurs, pourquoi pas des délateurs ? Laissons donc la police à ses pompes et à ses œuvres. Et cependant j'enquête, je cherche des indices, pour un peu je constituerais des fichiers : chez tout linguiste – fût-il empirique – n'y a-t-il pas un flic qui sommeille ? Troublante pensée. Devenir le Sherlock Holmes, ou plutôt le Maigret de la linguistique... Peut-être fut-il un temps où... Fumées maintenant que tout cela, mesquines ambitions narcissiques, petites flatteries à l'encensoir...

J'ai parcouru beaucoup de chemin depuis mon premier émoi langagier, mais le souvenir ne m'en a jamais quitté. À la petite école du Troisième Rang de Haute-Mauricie, je prononçai un jour un « gros mot » – quelque trouvaille des charretiers ou des bûcherons que j'avais précieusement recueillie et que j'entendais transmettre à mes contemporains. Ceux-ci s'esclaffèrent mais la jeune maîtresse horrifiée m'obligea à me laver la bouche avec du savon. Ce fut un moment de grâce. Si un mot, un seul mot, avait semblable pouvoir, que serait-ce si on en faisait un paquet, une boule, des guirlandes ? Ainsi naquit ma vocation. Les voies du Seigneur sont vraiment imprévisibles.

Aujourd'hui j'ai le sentiment d'avoir suivi celle qui m'était assignée. D'aucuns mettent leur application et trouvent leur délice à courir la prétentaine. Mon destin à moi m'a fait courir le monde et courir le mot – et les deux itinéraires coïncidaient. Je continuerai jusqu'à mon dernier souffle. Mon grand-père avait un proverbe pour chaque circonstance. Lui qui ne posséda jamais plus de trente sous dans ses poches prenait un malin plaisir à rappeler que « pierre qui roule n'amasse pas mousse ». Les gens d'ici visiblement préfèrent la mousse. Ils ne perdent guère de vue leur clocher, encore qu'on trouve toujours quelque voisine dont le fils est parti pour le Canada ou la Papouasie – d'où il ne donne plus de nouvelles. Moi, je suis l'héritier de mon grand-père. À chacun de mes départs en coup de vent, de mes foucades et toquades, ma bonne mère me dit jusqu'à sa mort : « Mon pauvre Philo, tu es complètement fou ! » – ce que je recevais comme un compliment. Et elle ajoutait : « Les gens vont encore rire de toi » – ce qui me confirmait que j'étais en bon chemin. Je n'invoquais pas – ô dérision – les exigences de mes recherches, ne tentais pas plus alors qu'aujourd'hui de me justifier. Je faisais mon baluchon. Il était mince. Je vois sur des gravures les explorateurs de Jules Verne : la culotte de coutil, les guêtres, le chapeau colonial en liège, le fusil, les cartouchières, le coutelas, la gourde, la lunette d'approche passés à la ceinture, le parasol. Une sorte d'hybride entre Robinson Crusoé et Tartarin. Avec, en plus, une théorie de Noirs à moitié nus portant ballots et caisses. Moi je n'ai même pas un filet à papillon pour attraper les mots au vol ni une de ces modernes mécaniques à roulette pour les enregistrer. Mes oreilles me suffisent. Je voyage léger, donc. Si l'on pouvait de même vivre léger...

Que connaissais-je, avant d'y venir, de cette province dont je sillonne quelques cantons ? Un nom, une chanson, quelques cartes postales jaunies avec des églises de lave sombre, des lacs, des montagnes à vaches et à cratères. Bien des années ont passé depuis la précédente exploration qui me conduisit de la Bibliothèque nationale (pleine de myopes et de grincheux) à la Côte d'Azur (où les donzelles étaient encore partiellement vêtues). Je pris le train dans la capitale avant le temps où elle fut saisie par la fièvre architecturale post-babylonienne et descendis vers la Méditerranée : à mi-chemin, la pluie épaisse entre plaine et montagne. Peu engageant. Ce Massif du centre n'avait pas très bonne presse autrefois. Un personnage de Proust déclarant à ses compagnons salonnards son intention de passer ses vacances en Auvergne s'attire cette réplique (je cite de mémoire) : « Mais vous êtes fou, vous allez attraper des puces ! » Et de l'indigène on disait qu'il était radin, renfrogné, retors (synonyme laurentien : ratoureux). Ma qualité d'observateur à la bienveillante neutralité me permet d'affirmer qu'il n'en est rien – enfin, presque...

Le moment est opportun pour rapporter une rencontre. Quand, il y a une couple de semaines, je quittai (ou fuis) la capitale en proie à ses fièvres, je montai à bord de ce TGV qui vous fait traverser la France comme sur un tapis volant. Mon vis-à-vis : un homme ayant manifestement atteint l'âge de la retraite. Nous nous sommes salués courtoisement. Il s'est plongé dans un gros livre relié en toile. J'ai dérivé dans le paysage – ensoleillé cette fois-ci –, dans mes mots, mes souvenirs. Et puis nous avons pris langue. Il revenait de quelque lointain trekking dans l'Himâlaya ou les Andes. « Connaissez-vous Henri Pourrat ? » me demande-t-il en posant la main sur son livre. Un nom, à peine. Cet homme, qui paraissait d'un naturel paisible, se met à faire avec chaleur l'éloge de *Gaspard des montagnes, ses vaillances, farces et aventures*. Le vocabulaire fruité, la phrase brusque et vive comme un ruisseau de montagne, les élans de tendresse pour un pays, pour les êtres. Une vision d'humaniste. Mais il y a trois quarts de siècle, Pourrat voyait déjà que l'art de vivre de la paysannerie appartenait au passé. « Tout ceci est fini, bien fini. Et, je l'ai observé de mes propres yeux, chez vous aussi... » ajouta mon interlocuteur. Nous avons ainsi devisé, nous interrogeant de concert. Pour moi non plus, le progrès n'est pas là où le place la majorité de mes contemporains et je ne me suis jamais fait une règle ou une philosophie de « vivre avec mon temps ». Et mon vis-à-vis a ajouté : « Il ne s'agit plus maintenant de vouloir ressusciter une civilisation morte mais d'en bâtir une nouvelle. Qui soit habitable. » Sur ces fortes paroles, nous avons échangé nos adresses alors que le train arrivait à ma gare de destination. Je n'avais pas livré le fin fond de l'affaire qui m'amenait en ces parages mais j'en savais un peu plus sur ce que je pouvais attendre d'eux.

Je poursuis donc sur cette lancée, je me renseigne, je fais le tri. Je feuillette *Ceux d'Auvergne* que m'a recommandé le lecteur de *Gaspard.* Le chapeau de feutre, la blouse bleue, la cabrette, le chaleil pour s'éclairer, le lit-placard pour dormir : à ranger en effet au rayon du pittoresque folklorique, même si j'en retrouve quelques traces dans mes errances pédestres et automobiles. N'oublions pas cependant que de ces terres entre plaines et volcans, sont nés des églises romanes de grand style, des manoirs, la première machine à calculer et les *Pensées*, la *Bourrée fantasque,* le *Trésor des contes* et *Le phénomène humain*. Je passe sous silence un chef gaulois, un pape et quelques têtes révolutionnaires. La contribution de la province au patrimoine mondial est loin d'être négligeable.

Le hasard, le flair et la nécessité m'ont, une fois encore, heureusement guidé. Dans mes opérations de chasse et de sauvetage ethnolinguistique, point n'était besoin de me rendre sous les tristes tropiques. En Auvergne, somme toute, il fait moins chaud et c'est plus gai. L'amorce fut, comme à l'accoutumée, la lecture du *Petit curieux*, revue modeste par sa couverture grise à l'image de ses moyens, mais pleine de trésors méconnus. J'ai publié dans ses pages quelques-uns de mes travaux égrenés au fil des ans. Notamment un inventaire lexical des boîtes téléphoniques de Sagamie dont je suis assez fier. J'avais projeté, puisque le comparatisme fut longtemps ma tasse de thé, de lui adjoindre un pendant pour la Lozère, mais un jour où, une fois de plus, je déménageai, je jetai mes fichiers au feu. J'apprends ainsi le détachement. La revue dont la politique est fort souple accueillit également mon rapport sur la composition des bibliothèques des anciennes communautés religieuses (section femmes). J'avais même songé un temps, par manière de fantaisie prospective, à des considérations sur les ouvrages qu'un écrivain fictif aurait souhaité composer. J'ai maintenant mieux à faire – et je le fais. Je collabore à une chronique dont je fus l'un des instigateurs : répertorier les mots en péril et ainsi les sauver. Quand on m'en signale en souffrance quelque part sur les terres francophones, je ne peux résister à leur appel. Cette chronique qui s'allonge d'une livraison à l'autre, je l'ai intitulée : « Ramenez-les vivants ».

Donc je feuilletais. « Suite de l'enquête sur la langue de bois. Deuxième partie : à l'Ouest. » « Le bestiaire dans la langue : contribution du bœuf, de la vipère et du chat à la production des gallicismes. » Et enfin, la chronique. Mes yeux tombent comme s'ils étaient aimantés sur *le* mot. Il brillait d'un éclat mystérieux, quasi phosphorescent, au sein d'une liste d'autres mots qui ne semblaient là que pour lui. *Débrediner*.

« Aire de diffusion : certaines régions de l'Auvergne. » Pour le moins flou. Rien sur le sens. C'est ainsi que, pourvu de ce mince viatique, je me retrouve dans les vieilles et hautes terres du massif hercynien, à des milliers de kilomètres de mes rives laurentiennes. Légèrement farfelu, n'est-ce pas ?

Parfois j'essaye le mot. Au patron qui m'apporte une potée de choux que je qualifierai, par euphémisme, de consistante, je dis : « Il y a de quoi vous débrediner... » Dans ces occasions il feint de ne pas entendre, ou bien il me regarde avec le petit sourire qu'il esquisse quand il croit repérer dans mon discours un québécisme. Devant des maçons qui finissent de jeter à terre une baraque, je m'exclame : « Quel débredinage ! » Dans le nuage de poussière, ils font simplement signe qu'ils boiraient bien un coup de rouge. De toute évidence je n'y suis pas. C'est froid, comme disent les enfants loin du but.

Ayant appris par la tradition que les gens à soutane sont de bon conseil, je décide de me rendre au presbytère (connu ici sous le nom de cure). J'aperçois M. Thomas qui semble en extase devant le clocher. Je ne vois cependant rien de bien remarquable à cette espèce de gros éteignoir écrasé qui laisse entrevoir trois cloches. Les gouttières et les gargouilles auraient bien besoin de réparations. Je sonne à la porte de la cure. Elle s'ouvre sur un jeune quidam en short et à cheveux longs. « Salut », lance-t-il. Pour un peu il m'aurait tapé sur l'épaule ou pris dans ses bras. Je lui fais comprendre que nous n'appartenons pas nécessairement à la même école de pensée. Il réajuste son niveau de langage et me fait les honneurs du lieu. Ce n'est pas le grand luxe. Il m'offre du whisky, j'accepte un doigt de porto. Nous causons. Je distingue dans son propos des néologismes comme performance, coefficient de fréquentation (en chute libre), nécessité d'une restructuration opérationnelle. Je le trouve touchant mais je me dis *in petto* qu'on n'a plus les séminaristes d'antan. La vie n'est certainement pas tous les jours exaltante dans ces campagnes où, là aussi, le *Wall Street Journal* doit supplanter *La terre de chez nous*.

Il me conduit à l'église, qui forme avec la cure un « complexe d'accueil ». Les dalles n'y sont pas balayées souvent, quelques fleurs achèvent de sécher dans les vases, et tout juste un lumignon vacillant au-dessus de l'autel. Pour la statuaire, rien pour surprendre, des plâtres de haute époque sulpicienne. Mon guide voulait enlever toutes ces vieilleries mais cela a soulevé un tollé dans la paroisse. Il a dû se résigner à garder sur leur socle saint Antoine et son cochon, saint François et son agneau, sainte Jeanne d'Arc et sa bannière. Dans la sacristie, quelques placards dégondés et un petit réduit où sont entassées d'autres vieilleries. Je risque un œil. Une autre statue, mais en bois tout taraudé, qui doit donc appartenir à une autre ère : un personnage vêtu de bure portant sous le bras une sorte de roue creuse ou de gros anneau. Je lis sur le socle : Saint Roufillat. « Inconnu au bataillon », répond mon guide à mon regard interrogateur. Nous nous quittons bons amis. « Revenez me voir, dit-il, je vous prêterai des livres. »

Je l'ai pris au mot. Passons sur la théologie progressiste et la pastorale new-look. J'en viens à l'histoire locale, violon d'Ingres des curés d'autrefois. Ils en ont écrit des monographies, des descriptions d'église, des vies de saints. Je rencontre ainsi un « saint Troufignat », mais le nom n'est attesté nulle part ailleurs. Une corruption, sans doute. Je consulte le répertoire des saints canoniques et canonisés. En vain. Il est vrai que l'édition date quelque peu, un autre tome, au moins, pour la mise à jour sera nécessaire à la fin du présent pontificat.

Je renouvelle mes visites à l'église, mais seul. Le curé, qui ne doit guère me croire porté aux dévotions particulières, m'en confie la clef. Privilège rare car, on le sait, dès avant la mondialisation, le clergé des villes et campagnes a opéré des coupes « drastiques » dans les heures d'ouverture de ses locaux. Je furète, je rêvasse dans cette petite église humble et délaissée. La moisissure y ronge le bas des piliers, des coulures vertes tachent le haut des murs, des mouches vrombissent dans un rayon de soleil puis un silence se fait. Sur un autel poussiéreux, la statuette d'une Vierge noire toute dédorée et vermoulue. Un bout de corde pend de la voûte, qui sert à actionner les trois cloches au timbre encore très réjouissant. Quelques tableaux

– « don de l'Empereur » – continuent de noircir pour le rachat des pécheurs défunts. Peu inspirants pour le critique d'art. Le curé a sans doute renoncé à complètement moderniser les dévotions de ses ouailles. Je me risque à nouveau dans la sacristie. Je n'avais pas remarqué dans le débarras une sorte de petit caisson ou de coffre en pierre avec un orifice rond. Curieux. Je crois avoir fait l'inventaire à peu près complet des lieux, mais dans ces églises de campagne si simples, si candides, on ne peut jamais être sûr qu'il ne se cache pas quelque mystère.

Je ne me crois pas plus avancé dans mes recherches, mais des pensées incongrues et buissonnantes continuent de tourner dans ma tête. Parfois elles me portent vers ces relations qui ne cessent de m'étonner entre le mot – c'est-à-dire un son – et l'objet auquel il renvoie, l'activité qu'il désigne. Débrediner, débrediner... Ce « dé » initial indique évidemment une privation, comme débarbouiller, débiner, débobiner, dépiauter ou démystifier (les contemporains salivent toujours en prononçant ce mot). Un « dé » privatif, certes, mais qui enlève quoi ? Et quel processus est ainsi dénoté ? Et si j'ai le verbe, il doit bien exister un nom qui lui corresponde, un agent pour accomplir l'acte, un instrument ?

Comment avancer ? J'interroge mes rêves. Rien. Le noir complet, le trou noir.

Et puis, cette nuit ! Ma mère m'est apparue, avec son air un peu grondeur mais si indulgent. « Mon pauvre Philo, dit-elle, tu es complètement bredin... »

L'euréka archimédique. La clef d'or. La lumière qui écarte les ténèbres et fait de l'ignorance connaissance. Je me précipite à la cure. « Monsieur le séminariste, l'objet que vous avez dans votre arrière-sacristie est un débredinoir !... » « Ah ! » fit-il. Comme je le dérangeais sans doute dans ses statistiques dominicales, il ne sembla pas plus ému que si je lui avais signalé la présence d'un bénitier à l'entrée de l'église. Je ne me laissai pas arrêter par ce peu d'enthousiasme – je veux croire que nous n'étions pas habités par le même Dieu. Me voilà dans le débarras de la sacristie, à quatre pattes. C'est bien cela, le trou dans le coffre a exactement les dimensions d'une tête de bon format. Je peux y introduire la mienne ! L'objet miraculeux par lequel est rendu l'esprit à ceux qui l'ont perdu, le saint qui accomplit le miracle...

Tout m'est ainsi donné d'un coup, par l'effet d'une grâce dont j'ignore la source. Au premier chef je vois confirmé le bien-fondé de ma méthode : battre la campagne et à un moment donné, hop ! D'aucuns parlent d'intuition, de solution livrée au terme d'un long trafic dans l'inconscient. Qu'importe le nom pourvu qu'on ait l'effet !

Il me reste à tirer des leçons de ce séjour auvergnat. Plus tard peut-être chercherai-je à prêter une forme moins nébuleuse et lacunaire à mon parcours scientifique, mais si cette réalisation voit le jour, je n'en sais ni le lieu ni l'heure. Et je ne suis pas sûr que le fragment ne soit pas la forme la plus appropriée à ces « leçons ».

Quelques mots donc, en guise d'envoi.

Sur l'Auvergne d'abord, où je ne suis plus retenu par une affaire – d'autres mots en péril me réclament ailleurs... Quand je vois les pleins feux de midi frapper les étendues de bruyères, de genêts et de lave, ou s'accumuler des nuées d'orage autour des dômes et des cratères, je me dis : quelle forte, quelle sauvage beauté en ce pays !

Je l'ai entrevu. Il faudrait pour mieux le connaître y vivre longtemps et à son rythme. Toute connaissance n'est-elle pas le don de la durée et de l'instant, la récompense par l'éclair de la patience ? Je parle bien ici de connaissance et non de savoir. Celui que longtemps j'ai rassemblé par petites touches, dont j'ai fait un dessin, ou plutôt une reprise, un complément infinitésimal à l'immense mosaïque à laquelle travaillent les générations pour que le monde et les humains soient plus intelligibles. Et ce sera sans fin. Je recueille des mots comme des chiens perdus, j'essaye de les garder en vie. Quel résultat, si minime, si apparemment inutile, est-il indigne de l'effort pour y parvenir ? Je dirais plutôt aujourd'hui : quel effort est sans valeur ? Quelle démarche ne change-t-elle pas un tant soit peu l'humain, pour le perfectionner ? Ce constat serait-il donc le fruit de ma brève visite en cette contrée montagneuse ? Si je suis venu en ce lieu, il y avait une raison.

Les pèlerins jadis marchaient longtemps pour mériter la guérison. Un saint leur rendait ce qu'ils avaient perdu, la santé, leurs biens, leurs clefs, leur argent. L'invocation ni l'objet ne possédaient une efficacité garantie. Je m'en avise soudain : j'ai bien introduit ma tête dans le débredinoir, en suis-je plus sage pour autant ? Peut-être y faudrait-il une foi plus vigoureuse. Car le doute demeure en moi : devrait-on diffuser le culte de saint Roufillat et, au besoin, fabriquer des débredinoirs en nombre ? Ou bien faut-il laisser à chacun sa folie ?

Passe-moi le vistemboir

Jean-Noël Blanc

« Passe-moi le vistemboir », a dit Perret.

J'aime travailler le bois mais je n'aime pas travailler dans la menuiserie de Perret. Tout bon bougre qu'il soit, il n'est jamais fichu de trouver le bon mot au bon moment. Il s'en tire en utilisant le premier vocable qui lui tombe sous la langue et il faut se creuser le ciboulot pour deviner ce qu'il raconte.

« Le vistemboir, nom de dieu. »

J'ai regardé tout autour de moi dans l'atelier. Du diable si je savais ce qu'il réclamait. Un rabot ? Une râpe ? Une gouge ? La boîte à onglets ? Des chevilles ? De quoi donc avait-il besoin pour fignoler le cercueil sur lequel il besognait ?

J'avais déjà assemblé bien des cercueils dans ma vie, mais avec un vistemboir, jamais. À tout hasard, j'ai tendu un marteau.

« Qu'est-ce que tu veux que je foute de ça ? Passe-moi le truc, là, le bredouillis, enfin tu vois bien. »

Je lui ai donné le chasse-clou.

À la bonne heure, il était content.

Ensuite, on est passés au palmier, au médaillon, à la mirette et au trusquin, et j'ai tendu, tout à tour, le vilebrequin, le ciseau à bois, le bédane et le trusquin. Je n'ai pas hésité, même quand Perret a trouvé le mot juste.

À la fin, le cercueil était presque présentable. Je suis sûr que des clients pressés se seraient vite laissé tenter si on l'avait mis en vitrine dans le magasin des pompes funèbres, chez Marcel, juste en face du cimetière du village.

« Ça me paraît convenable pour la musarde », a dit Perret en contemplant son ouvrage.

Lui aussi, il pensait que ce cercueil ne ferait pas de vieux os.

J'ai proposé un petit tour au bistrot pour s'humecter les amygdales après un tel labeur. Je savais que Perret accepterait. Il a la dalle en pente et le goût des alcools raides.

On n'avait pas plus tôt franchi la porte du café que le patron a tenu à nous apprendre la nouvelle.

Un type avait débarqué la veille au village et posait des questions bizarres à tous ceux qu'il rencontrait. Un escogriffe avec des tifs d'éteules et une voix de rogomme. Considérant tout son monde de haut en bas. Inscrivant des choses dans un calepin. Fronçant le sourcil. Fouineur et suspicieux.

« Il cherche quoi ? a dit Perret. Des rouflaquettes ? »

On a tous compris qu'il voulait dire « escarboucles ». Ou « pierreries ». Ou « trésor ». Quelque chose comme ça.

« Penses-tu, c'est pire. Figure-toi que ce mec cherche des mots.

– Deux fines », a dit Perret avant de s'asseoir.

Il nous fallait bien ce genre de sirop pour comprendre cette histoire de grand flandrin qui venait nous renifler dans le vocabulaire.

Le patron s'est assis à notre table. Au fond de la salle, les vieux tendaient l'oreille en lichant leur chasse-cousin. Une grosse mouche noire bombinait autour du ruban poisseux que le cabaretier avait pendu au plafond du café. C'était l'heure paisible où les tracteurs sont aux champs. Le bourg était silencieux.

« Un Nétenolingouiste, a dit le patron. Il se balade à travers le pays pour recueillir des mots qui n'ont plus cours que dans les trous perdus. Il les collectionne et après il en fait des livres. Un savant. Un type à la masse, mais un savant.

– Il a dit un trou perdu ? Il a vraiment dit ça ? »

Je n'en revenais pas qu'on ait le culot de qualifier mon village de « trou perdu ». Perdu, je veux bien, mais trou, non. Je déteste les trous et jamais il ne me viendrait à l'idée d'en choisir un pour y vivre.

« C'est une expression, a dit le patron pour me calmer.

– Bien sûr, a dit Perret. Tu n'as qu'à consulter le vulnéraire. À la bibliothèque, ils en ont un en cinq bouloches. Le Larousse. Si là-dedans tu ne déniches pas « trou perdu », c'est à se les prendre et à se les tordre. »

Maintenant, il me donnait des leçons de vocabulaire. On aurait tout vu. J'ai préféré laisser quimper.

On a siroté nos blanches sans causer. Dans la rue, Victor est passé avec sa gaffe à périssoire sur l'épaule. On n'entendait que ses pas sur le pavé, et rien que ce bruit aurait suffi à rappeler qu'on était au plein mitan de l'été. On a gaspillé un bon brelan de minutes dans le silence. Personne n'avait le cœur au labeur.

Quand même, le « trou » me restait en travers de la gargoulette. Je n'arrêtais pas de penser à ce grand dépendeur d'andouilles qui venait fourrer son tarin dans nos manières. J'ai demandé le genre de mots qu'il cherchait.

« Des mots locaux. Du patois. Du parler de par ici.

– Des rogatons, a dit un vieux depuis le fond du café. Tout ce qu'on n'utilise plus depuis la lurette à Mémé.

– Il a expliqué qu'il s'intéressait aux parlures, a dit un autre vieux. C'est son mot, les parlures.

– Parlures ou éparviers, a dit Perret, les racontars de ce type-là je m'en tamponne le coquillard. »

J'ai reposé mon verre. Délicatement. Juste sur la mouche qui pompait une goutte de raide.

Je l'ai emprisonnée sous le pied du verre, et quand j'ai été sûr que tout le monde avait bien reluqué mon manège et que plus personne ne pouvait songer à une manigance, j'ai pris mon air le plus chattemite pour regarder Perret.

« Il faut aider la science, Perret. On devrait rencontrer ce savant tous les deux, toi et moi, dans ton estanco de menuisier. On connaît les mœurs du pays, on pourrait se rendre utiles. »

Il a souri. En coin. Une grimace un tantinet coincée. Il souriait toujours de cette façon quand il voulait cacher sa fierté. Un peu de vanité sans doute. En tout cas, l'idée d'en apprendre à un sorbonnard ne lui déplaisait pas. J'ai tendu la main, paume en l'air.

« Tope là ? »

On a claqué nos paumes à la maquignonne. Affaire conclue. Il ne restait plus qu'à convoquer le professeur Nimbus dans la cambuse à Perret.

Il est venu le lendemain matin. On n'avait pas menti sur sa description. Une grande gigue maigre comme un échalas. Les tifs en chaume, le pif en coupe-papier, les badigoinces en serre-livres. Un rechigné. Faisant malgré tout des efforts de politesse.

« Philocrate Bé. »

J'ai cru qu'il ne causait pas français, j'ai montré mon esgourde pour signifier que je n'avais pigé que dalle, il a bien voulu répéter, et j'ai compris seulement à ce moment qu'il avait prononcé son nom.

« Dans le coin, j'ai dit, on répéterait partout que vous avez un nom à coucher dehors avec un billet de logement.

– Vous ne m'apprenez rien. Cet idiotisme a cours dans toutes les régions du pays. »

Ah bon. Il voulait jouer le mirliflore. Il me traitait comme si j'avais la comprenette enchifrenée. Très bien. Il allait en avoir pour son fric, l'ombrageux.

« Faut pas m'en vouloir, j'ai dit en souriant d'une mine pateline, j'ai fait des études, il n'y a rien de tel pour vous embrouiller l'entendement. Mais Perret, ici présent, menuisier de son état, lui, promis juré craché il n'a même jamais décroché son certificat d'études. Avec lui vous êtes en prise directe sur les parlures du pays profond. »

J'ai levé un doigt pour bien montrer que je parlais sérieusement.

« Et encore mieux, vous ne trouverez personne à des kilomètres à la ronde pour être plus précis sur le vocabulaire des métiers. Surtout pour le travail du bois, bien sûr.

– Mon engoulevent, a dit Perret en embrassant d'un large geste du bras tout l'espace encombré de sa menuiserie. Je l'ai construit moi-même personnellement. Avec mes bras et mes outils à moi. Tout à la force du chanfrein.

– Voulez-vous que je traduise ? Perret parle de son atelier. Bâti à la force du poignet.

– Tout en bois dur, a dit Perret. Du parurier, de l'encensoir, du florin de haute futaie.

– Du frêne, de l'orme, du peuplier. Des arbres de par chez nous, vous voyez. Pas de résineux, pas de bois tendre.

– Ouais, pas la moindre flouve », a dit Perret.

Le savantasse avait tiré un carnet de sa poche. Il prenait des notes en écoutant le menuisier. Il écrivait vite, d'une écriture menue et penchée, au crayon à papier. J'ai désigné le crayon :

« Chouette instrument, hein ? Pas besoin de recharge, pas de tache sur les doigts. Seulement, quand ça s'use, ça se taille. »

Il m'a regardé par en dessous. Il se demandait si je lui parlais de lard ou de cochon.

« Et quand ça se taille, j'ai dit, c'est difficile à rattraper. Parce que ça cavale vite, un crayon qui se tire des flûtes. J'en ai connu plusieurs qui m'ont filé entre les doigts comme une truite. Mais à part ça, j'aime bien les crayons.

– Si nous parlions des instruments de travail ? » a dit le fort en thème pour changer de sujet.

Perret a levé le bras au ciel.

« Mes instruments ? Si je les connais ? Mais je les trouverais les flous bernés. Même en pleine nuit. Je sais mon établi sur le bi du bout du doigt. Tenez, le conirostre, le robinet, le mégot, la taillanderie, le notaire, le sergent, la queue-de-cochon. »

Je m'étais déplacé jusqu'à l'établi et je désignais les outils au fur et à mesure que Perret les nommait. Le bouvet, le valet, l'étau, la sauterelle, le feuilleret, sans oublier le serre-joint et la tarière que tous les menuisiers nomment en effet sergent et queue-de-cochon. Puis, ce fut le tour de l'égoïne et du tarabiscot, de l'alumelle et du davier, de la doloire et du guillaume, de la doucine, du riflard, de la toupie, du valet, de la guimbarde et du sabot.

L'allumé des parlures continuait de prendre des notes. Il en apprenait des vertes et des pas mûres.

« Et ce qui sort de ces mains-là, j'ai dit en montrant les paluches à Perret, vous n'en avez pas idée. Regardez-moi ces boudins, ces flipots, ces impostes, ces tourniquets, ces tympans, ces queues d'aronde et ces ranches, avouez que vous n'en avez jamais reluqué d'aussi chouettes. »

Perret nous accompagnait à travers l'atelier en laissant tomber parfois des commentaires techniques.

« La berlure, c'est le chiendent. On en chie des rondelles de chapeau pour haubaner ce machin-là. Comme pour le goujat. Vous aurez beau planer et corroyer comme un malade, quand le goujat rebique c'est foutu, vous ne pouvez rien faire. Même si on varlope à s'en faire saigner les doigts, c'est la mort du petit cheval. »

Je ne traduisais même plus. Les mots se suffisaient.

On a parcouru ainsi tout l'atelier. Jusqu'au cercueil. Il attendait sagement sur ses tréteaux et il sentait si bon le pin frais qu'il en était presque appétissant.

« Et cet objet, a dit le savant, quel nom lui donnez-vous ?

– Le cercueil ? a dit Perret. Ben, vous savez bien, c'est un cercueil.

– Vous êtes sûr ? a dit le savant. Un cercueil, vraiment ?

– Comment voulez-vous qu'on appelle un cercueil ? Un cercueil, c'est un cercueil.

– Ah bon », a dit le savant.

Il paraissait déçu. Perret a voulu faire un geste, par gentillesse.

« Si vous voulez, à la rigueur, on pourrait dire que c'est un bismuth.

– Vraiment ? a dit le linguiste. Vous voulez dire un sigisbée. Un naufrageur. Une canopée. Un plénipotentiaire. »

Il se fendait la poire. Fier de lui. Ironique à n'en plus pouvoir. Content de nous avoir blousés en fin de compte.

« Ou peut-être une hirondelle ? Une aigremoine ? Une désinvolte ? »

Son manège l'amusait. Il déblatérait maintenant sans barguigner. C'était un peu beaucoup, je lui ai coupé le sifflet.

« Un cercueil, monsieur, c'est un cercueil. On ne plaisante pas avec ces choses-là. »

Il s'est tourné aussi sec vers moi, et, coupant :

« Vous, le franfreluquet, ne la ramenez pas. Votre plaisanterie a fait long feu, non ? Apprenez que pour ma part je ne rigole pas avec les mots. Bien le bonsoir messieurs. »

Il a filé, le dos droit, la nuque raide, sans se retourner. On ne l'a plus jamais revu dans le village, ni dans les environs. Peut-être a-t-il achevé ses travaux, je ne sais pas, je ne me suis pas renseigné, ça ne m'intéresse guère.

Tout de même, j'aurais bien aimé savoir. Ce mot, dont il m'a qualifié dans sa répartie finale, ce « franfreluquet » si méprisant, où donc l'a-t-il pêché ? J'ai épuisé les dictionnaires. Inconnu au bataillon. Introuvable. Certaines nuits, ce mot m'obsède au point d'empêcher mon sommeil.

Franfreluquet.

Merde alors.

Ça ne fait rien. Un jour, j'en suis certain, je trouverai.

Le briqueleur

Nicolas Dickner

Bé avait disparu de la carte depuis quelques mois. Sans doute se cachait-il dans quelque grenier afin d'y fomenter un nouveau scandale de son cru, mais impossible d'en être sûr : bien que je le connusse depuis de nombreuses années, il m'était toujours difficile d'anticiper la nature exacte des actions qu'il tramait. Tout, chez Bé, résistait à la taxonomie : sa pensée, ses gestes – et jusqu'à son apparence, dont il entretenait le flou à l'aide d'une collection de moustaches et de barbes postiches, de fausses lunettes et de chapeaux variés. Cet intellectuel en habit de camouflage souffrait également de nomadite chronique : je ne lui avais connu, depuis dix ans, aucun domicile fixe, aucun troquet de prédilection ; il ne semblait jamais passer deux fois par la même rue et on pouvait l'apercevoir dans les lieux les plus divers, aussi bien dans une ruelle sordide du centre-ville que dans le luxueux salon des professeurs du département de littérologie de l'Université Catholique. Je le croisais de temps à autre dans les soupers de l'Institut de Verbalistique, qui cherchait noise aux écrivains à la mode – mais il terminait le plus souvent la soirée sous quelque pont, partageant avec un clochard balbutiant la bouteille de Chianti chapardée à la table d'où il sortait. Cet incessant caméléonage le rendait indéfinissable et fit naître les premiers doutes sur son existence réelle : certains parlaient déjà de lui, en ce brumeux été, comme d'un monstre légendaire, un fantôme doté d'ubiquité, une pure chimère.

L'Académie, pour sa part, demeurait fermement convaincue de son existence – et voulait plus que jamais la tête de ce *dangereux verbopathe*, recherché pour *subversion* et *argotisme*. Un portrait-robot (peu réussi) de Bé circulait dans les commissariats et les milices depuis le début de l'été, à la suite de sa conférence dans un colloque de sémiotique qui avait tourné à l'émeute – mais ce coureur de fond avait l'habitude de la poudre d'escampette : des douzaines de télexicographes, de littérologues et d'admiratrices étaient déjà à ses trousses, et il ne faisait pas grand cas de quelques képis supplémentaires. Bé demeurait insaisissable, tapi dans quelque recoin obscur de la jungle urbaine.

Il réapparut le dernier vendredi de juillet, vers une heure du matin, grattant dans le carreau de ma fenêtre de cuisine. Je venais de ranger ma vieille Olivetti, incapable d'ajouter un mot de plus à un article qui se portait mal. La semaine avait été déplorable, ponctuée de crises d'analphabétisme et de rafales de migraine, et je n'aspirais plus qu'à dormir pour l'éternité, si possible jusqu'au lundi. Je mis la cafetière sur le feu tandis que Bé poussait par la fenêtre exiguë l'énorme sac bleu fatigué de la marine marchande dans lequel il entassait les tonnes de livres empruntés à gauche et à droite, et toujours remis à la mauvaise personne – préférablement quelque étudiant fauché.

Cette nuit-là, le sac était plus rebondi qu'à l'habitude, et Bé plus bondissant. Il sauta le rebord de la fenêtre et me secoua fébrilement la main.

« Alors, alors, alors – quoi de neuf ? »

La question s'avérait purement rhétorique – ce verbomoteur n'écoutait pas davantage les réponses qu'il ne répondait aux questions. Je l'invitai à s'asseoir, mais il resta debout et laissa plutôt choir le lourd sac de marin sur la table, envoyant voler la salière et le bol de fruits.

« Tu nous prépares du café ? Parfait, excellente initiative : la nuit va être longue ! »

Cette remarque ne me surprit pas outre mesure : Bé, lorsqu'il débarquait, avait l'habitude de rester jusqu'à l'aube ; il était intarissable et pouvait discuter métaphysique, grammaire critique et mécanique automobile pendant des heures, ou jusqu'à ce que son interlocuteur demande grâce. Cette nuit-là, pourtant, il ne paraissait guère enclin à bavarder, et je compris vite qu'il s'agissait d'autre chose. En tant que grand spécialiste du « cas Bé » (j'avais écrit une vingtaine d'articles sur lui) il m'incombait de tout saisir à demi-mot – et je saisissais qu'après des années d'activisme à petite échelle, le moment de la Révolution était arrivé.

J'avais souvent tenté de percer la nature exacte de cette mystérieuse Révolution que Bé préméditait depuis des années – mais il gardait sur la question un silence farouche et scrupuleux. À force de le tarauder de questions indirectes, j'avais réussi à deviner que ce dessein était, en vérité, une tenace rancune d'enfance contre l'Académie.

Bé était le rejeton d'une famille de rabeleurs, spécialistes de la lettre B depuis trois générations. Il avait grandi sur le trottoir poussiéreux du boulevard Babel, dans la cohue sonore où l'on marchandait la définition d'un mot comme une botte de carottes, et où le moindre doute de la part du client engendrait d'interminables palabres. Encore tout jeune, il avait quitté le territoire de rabelage de sa famille pour sillonner en tout sens les vingt-cinq autres rues du faubourg, partant à l'aube en direction de l'avenue Arequipa pour ne revenir qu'à la nuit tombée, de la ruelle Zavaleta. Il affectionnait particulièrement les définisseurs dyslexiques de la rue Tahuantinsuyo, les merveilleux menteurs de la ruelle Salazar et les Japonais jacasseurs qui s'étaient accaparé l'escalier Kenko – mais toujours il revenait chez les saltimbanques du rond-point Congo, afin d'entendre chanter les mots *caoutchouc*, *charabia*, *cocotier*, *couscous*.

Au bout de quelques années de vagabondage, on l'envoya à l'école – mais Bé semblait allergique aux chaises et aux salles de classe, et il avait tant de fois marronné pour aller traîner dans le faubourg qu'il passa, au total, davantage de temps chez les rabeleurs qu'avec ses professeurs. Peu lui importait que ses résultats chutent en arithmétique, en chimie et en gymnastique : il était passionnément occupé à se gaver de milliers de mots, à étudier les subtilités de l'étymologie, à contourner les moindres pièges de l'orthographe. Après tout, n'était-il pas destiné à devenir rabeleur-de-père-en-fils ?

Mais les belles années du rabelage touchaient à leur fin, alors que les tentacules de l'Académie s'étendaient dans le paysage du faubourg. L'ingérence s'était d'abord manifestée avec le prudent édit de spécification des territoires et la création du permis de rabelage. Ces premières mesures coercitives furent consolidées par les grilles de tarification 234 et 234 bis, par la Loi 26 635 sur les heures d'office et les dimanches pluvieux, et par le terrible règlement de 1975 sur l'orthodoxie lexicale. Lorsque la grogne des rabeleurs devint trop forte, l'Académie attisa les conflits internes de la guilde, provoqua des émeutes et, profitant de l'état d'urgence, fit disparaître les rabeleurs trop bavards. Dès qu'ils eurent repris le contrôle du faubourg, les académiciens publièrent la charte de la rectitude idéologique, instaurèrent les tarifs de location des trottoirs et votèrent la stratosphérique *Taxe Grevisse sur le sens* (5 % de taxe par lettre, jusqu'à concurrence de 65 %), mesures qui achevèrent de transformer l'antique artisanat de rabelage en un négoce pharmaceutique où les inspecteurs et les délateurs avaient la joue grasse et le poil lustré.

Les grandes déchéances sociales ne nous affectent pas tant que les petits événements qu'elles entraînent, et Bé ne sentit vraiment la révolte qu'au moment où son père, Socrate Bé, las des manœuvres de l'Académie, abandonna le rabelage pour aller vendre du nougat et des cacahuètes aux touristes de la place Saint-Martin. À partir de ce moment, Bé sut qu'il ne deviendrait jamais rabeleur comme son grand-père et son arrière-grand-père : il lui faudrait emprunter des chemins plus tortueux, moins honorables.

La nuit de ses quatorze ans, il quitta le domicile familial et alla se réfugier dans l'impasse Grau, territoire des rabeleurs anarchistes, des femmes à barbe et des pisse-copies sans le sou. Là, malgré les menaces des inspecteurs de l'Académie, on osait encore rabeler la définition de mots comme *gendarmer*, *génocide*, *gaz lacrymogène*, *grabuge*, *grève, gitan*, et jamais l'on ne s'était abaissé à percevoir la taxe Grevisse. Dans cette enclave, Bé apprit l'art du jeu de mots, du pamphlet vitriolique et du cocktail Molotov. Heureusement, il démontrait davantage de talent pour la rhétorique que pour le kérosène, et c'est ainsi qu'il entama la guérilla linguistique au long cours qui le ferait s'activer dans tous les lieux fameux et mal famés de la ville, dans les colloques, les radios pirates, les journaux militants, les universités, les fêtes, les bars mafieux, les bibliothèques, pour finalement aboutir dans mon humble cuisine, bien des années après, en cette nuit de juillet 1992.

J'attendais ce moment depuis longtemps, en vérité, et je ne m'étonnais que d'une seule chose : qu'il vienne solliciter mon aide. Manifestement, Bé se trouvait seul pour mener sa révolution à terme, et un révolutionnaire, à défaut d'avoir des compañeros, doit au moins se munir de témoins privilégiés ; c'était, à n'en pas douter, le rôle qu'il me destinait dans son entreprise. Moi, le journaliste d'analyse un peu froussard qui toujours se tenait prudemment à distance, je devais désormais pénétrer l'épicentre des événements. J'aurais seulement aimé savoir de *quels* événements.

La cafetière chuinta dans le silence de la cuisine. J'entrepris de servir le café en me disant qu'un breuvage chaud délierait peut-être la langue de Bé – mais à peine avais-je terminé de remplir son verre que Bé le saisissait, en sifflait le contenu et jetait le cadavre par-dessus son épaule. La caféine se mêla instantanément à l'adrénaline qui turbinait dans ses veines. Il avait l'œil allumé et le geste électrique.

« Tu as toujours ta bagnole ? Alors donne-moi les clés et enfile ton manteau – nous allons passer à l'abordage ! »

* * *

Une demi-heure plus tard, l'effraction était consommée. Il avait suffi de quelques minutes et d'un trombone à papier habilement tortillé pour que Bé crochète la serrure, force la porte et me tire par la manche.

À l'intérieur, il faisait noir et froid – mais une accueillante odeur de papier et d'encre flottait dans les murs. Bé fouillait dans son sac tandis que moi, les bras ballants, je n'en revenais tout simplement pas de me trouver dans une imprimerie déserte à deux heures du matin. À vrai dire, je n'aurais pas été davantage hébété de me retrouver dans le cimetière secret des éléphants ou dans la ziggourat de Babylone.

Bé alluma une lampe de poche, mais les piles étaient si faibles que le cercle de lumière accentuait la noirceur au lieu de la repousser. Tout en scrutant avec circonspection la pénombre ambiante, j'émis l'hypothèse que l'endroit fût surveillé par un gardien de sécurité – mais Bé, jugeant visiblement la question d'un intérêt négligeable, s'éloigna en agitant la lampe comme Prométhée sa torche, et je n'eus pas le choix de lui emboîter un pas hésitant. L'obscurité ne semblait pas le gêner et, tandis que je donnais de la tête dans de mystérieux appendices mécaniques, tâtonnant pour trouver un point d'ancrage fixe, il s'activait déjà à pousser des boutons, à tourner des manivelles et à explorer le contenu de vastes tiroirs.

« J'ai terminé la photocompo hier, ce qui ne nous laisse plus qu'une montagne de travail à abattre. Allez, secoue-toi un peu, bon sang ! Il y a un bidon d'encre à ta droite, ne va pas le renverser – amène-le plutôt par ici. Ensuite je vais te montrer la réserve à papier, et tu commenceras par m'en transporter dix paquets. »

Bé ne m'avait pas encore révélé ce qu'il comptait imprimer, et les laborieuses heures qui suivirent ne me laissèrent pas le loisir de poser des questions qui, de toute façon, auraient été noyées sous le vacarme des rotatives. Je tentais de remplir sans rien y comprendre les tâches dont j'étais chargé, tandis que Bé effectuait l'indispensable travail d'artiste, volant d'un bout à l'autre des presses avec la précision et la vélocité d'une chauve-souris, vérifiant le débit du papier, ajustant une vis, gardant un œil préoccupé sur un manomètre.

La nuit entière ne fut qu'une course irréelle au milieu de la pénombre encombrée, et lorsque la grisaille de l'aube pénétra par les carreaux, j'étais épuisé, les avant-bras noirs d'encre. Je ne restais debout qu'à grand-peine, mais Bé tenait mordicus à ce que nous donnions un coup de balai afin que rien ne paraisse de notre labeur nocturne. Cette ultime tâche me semblait être une excentricité aussi élégante qu'excessive – mais Bé ne laissait jamais rien au hasard.

Nous avons transbordé dans la voiture les onze lourdes boîtes fleurant l'encre fraîche, et nous nous sommes esbignés en fermant soigneusement derrière nous. La nuit avait été si bien remplie – et Bé si impérieux – que je n'avais pas disposé d'une seconde pour examiner les pages qui jaillissaient des rotatives. Dès que le lieu du crime se trouva suffisamment loin derrière nous, je poussai un soupir de soulagement et priai Bé (qui sifflotait gaiement un air de jazz) de bien vouloir éclairer ma lanterne de ses prométhéennes explications. Il étira le bras vers l'arrière de la voiture et, éventrant une boîte, en tira une copie du livret que nous avions imprimé. Son visage était traversé d'un sourire immense.

À première vue, cela ne ressemblait à rien de connu – ni roman, ni pièce de théâtre, ni recueil de poèmes. Ça n'avait pas non plus l'apparence d'une monographie, d'un essai ou d'un manuel scientifique. Pour tout dire, ça n'avait l'air de traiter de rien en particulier : il ne s'agissait même pas d'un texte suivi, mais plutôt de courtes notices embrochées l'une à la suite de l'autre, par ordre alphabétique. J'ai rapidement feuilleté le livret, qui ne contenait que ces notices, de la première à la dernière page. Bé capta mon air ahuri.

« Il s'agit tout simplement d'un atlas lexicographique, un atlas qui indique la position des mots dans le langage – à la fois leur position arbitraire dans l'alphabet (ou dans les rues du faubourg, si tu préfères) et leur position relative dans le sens. Je sais déjà ce que tu vas me dire, et ce n'est pas faux. En fait, j'ai longuement hésité à utiliser les coordonnées arbitraires comme clé de classement, mais comme la lexicographie est une discipline jeune, je m'accorde une certaine marge de manœuvre dans l'établissement des projections, qui... »

Le manque de sommeil affaiblissait mes capacités intellectuelles, et j'avais déjà perdu le nord de l'explication. Bé se fit subtilement vulgarisateur.

« Tu n'as pas compris, bon sang ? C'est un recueil de mots – de tous les mots, avec leur définition. Une sorte de modèle réduit de l'univers tel que nous le nommons. »

J'ai ouvert des yeux immenses, incapable de proférer un son tant le projet m'apparaissait insensé : il était impensable que tous les mots qu'avait engendrés le cerveau humain puissent tenir dans un seul livre – et encore moins dans cet opuscule maigrichon, que je soupesais maintenant d'un air dubitatif. Perspicace, Bé devança mes protestations :

« Bien sûr, nous n'avons imprimé qu'un seul cahier – à peine une partie de la lettre A. Il faudra continuer la nuit prochaine... »

Je lui jetai un regard effaré qu'il fit mine de ne pas remarquer.

« ... mais je crois que deux semaines devraient suffire pour terminer l'impression du premier tome... Naturellement, nous devrons ensuite classer les cahiers, puis les relier – mais ne t'inquiète pas, les couvertures sont déjà prêtes. »

Je secouai la tête, abasourdi par l'entreprise invraisemblable dans laquelle je me découvrais soudainement entraîné. Imprimer un ouvrage de cette ampleur dans l'obscurité et la clandestinité les plus complètes était une tâche proprement herculéenne, irréalisable par le commun des mortels – catégorie d'êtres dont je prétendais résolument faire partie. Je connaissais cependant le tout-puissant entêtement de mon ami et, à moins que la police ne s'en mêle, il ne faisait aucun doute que nous passerions les prochaines nuits à transmuter des kilomètres carrés de forêts en milliers de pages – dont, à vrai dire, je ne voyais pas vraiment le potentiel révolutionnaire.

J'étudiai plus attentivement le cahier que je tenais entre les mains. Le premier mot était :

> **Abacimure** : (n. f.) (1726, de l'arabe *abbacimoure*, quatrième marche de l'escalier qui mène à la mosquée) **1.** Épuisement arithmétique du destin. La personne affligée d'abacimure ne parvient au terme d'aucune entreprise impliquant le nombre quatre. « *L'abbacimure* (sic) *avait pris des proportions endémiques, et les habitants de Port Achile ne parvenaient plus à dormir que du lundi au mercredi.* » (P. POPELIN) **2.** *Par ext.* Perte de mémoire qui affecte simultanément quatre concepts, ou génère trois angoisses. Voir **Triangustiation**.

Malgré mon vaste vocabulaire, je n'avais jamais entendu ce mot. J'ai lu le second (*abarasser : se camoufler derrière une femme enceinte*), que je ne connaissais pas davantage, pas plus que je ne connaissais le troisième (*aberturance : gros poisson miauleur*). J'ai parcouru rapidement les autres pages pour finalement m'exclamer que la moitié des mots de ce bouquin n'existaient pas !

« N'existent *pas* ? répliqua Bé l'air vexé, mais ma parole, tu joues les académiciens ? Cesse un peu de penser en deux dimensions ! Cet atlas n'obéit pas aux lois de la cartographie conventionnelle – il recense non seulement des mots disparus, mais également des mots jamais apparus, des mots qui ont failli apparaître, des mots potentiels, des mots ayant cours dans une réalité parallèle, des mots-sur-le-bout-de-la-langue, des mots puzzle qui contiennent la clé de tous les autres mots, des mots chaînon-manquant, des mots oniriques, des mots à géométrie variable dont la prononciation et le sens varient selon le ton de la voix, des mots en abyme qui camouflent d'autres mots qui en camouflent d'autres, des mots dont seule l'écorce nous est parvenue et auxquels il a fallu supposer un sens, des mots partis en voyage pendant cinq siècles et revenus dans une autre langue... »

Je fis un geste de la main pour indiquer que j'avais saisi l'idée générale, mais Bé était lancé.

« Un ouvrage comme celui-ci ne doit rien à la réalité ! Ça n'a aucune espèce d'importance que les gens ne puissent pas réellement acheter un *scoliflore*, ou attraper une *pistulette chronique*, ou escalader un *walibouche flamboyant* ! Lorsque tu vas dans la rue Damasco te faire rabeler la définition du mot *démocratie*, est-ce que tu te préoccupes de la réalité du concept ? Non, bien sûr ! Le monde ambiant n'est peut-être qu'un canular de nos terminaisons nerveuses – mais tu t'en moques : tu vas acheter la définition du mot *démocratie* pour écrire un article en retard, pas pour remettre l'existence du cosmos en question ! Les mots sont comme des briques, et si tu donnes aux gens des briques un peu bizarres, ils ne se questionneront pas sur la matière et le néant : ils vont construire des maisons – des maisons un peu bizarres, à l'image des briques. »

Bé imprimait au volant les pulsions de sa pensée et nous volions en zigzag, quelques centimètres au-dessus de l'asphalte. Je me cramponnais en songeant que le pire danger n'avait peut-être pas été de pénétrer par effraction dans cette imprimerie.

« Il faut rester pragmatique : notre problème, c'est que l'Académie prétend calibrer la moindre brique, en mesurer les angles au degré près, en contrôler la couleur, le poids, la texture, la saveur. Sa vision du monde ne souffre aucune aspérité – rien ne doit dépasser. L'autre jour, une vieille dame voulait acheter le sens du mot *libation*. Sais-tu ce que lui a répondu le rabeleur ? Que *libation* était « le dieu grec de l'ordre et du travail » ! »

Il donna un coup de poing dans la portière, qui s'entrouvrit en sifflant.

« Bon sang, ils voudraient nous faire tous mourir d'ennui qu'ils ne s'y prendraient pas autrement ! Mais suffit : nous allons bombarder la ville avec notre livre – et tu verras bien si l'Académie estime que ces mots-là n'existent pas. »

J'ai considéré notre cargaison avec un respect croissant, presque avec crainte : j'aurais soudainement préféré trimballer des caisses de dynamite.

Bé s'était calmé et nous roulions de nouveau à une allure normale, sans dire un mot. Le soleil s'était levé au bout de l'avenue Bolivar, faisant étinceler les gouttes de rosée dans le feuillage des ormes qui bordaient la rue déserte. Nous avons croisé une demi-douzaine de voitures de police, mais Bé demeurait impassible, absorbé par ses pensées.

* * *

Nous avons stationné la voiture en bâillant. Je n'arrivais pas à croire que cette épuisante série de nuits était enfin terminée et que, de surcroît, j'y avais survécu. Chaque nuit nous nous étions échinés aux presses pendant des heures, comme de véritables esclaves enchaînés à la passion de Bé. Je tombais sur mon lit à l'aube, les oreilles encore vibrantes du bruit des rotatives, et ne me relevais qu'au coucher du soleil, quelques heures avant que Bé revienne cogner à ma fenêtre, invariablement frais comme une rose. L'aventure avait été si accaparante que je n'avais pas pu sortir ma vieille Olivetti du placard, et que le rédacteur en chef m'avait appelé pour savoir à quel moment je comptais envoyer le prochain article. J'avais feint de souffrir d'*achmilée* – une maladie tout droit sortie du livre de Bé. Le mot avait fait merveille et plus personne ne m'avait appelé, ce qui me portait même à craindre pour mon emploi.

Heureusement, les calculs de Bé avaient été justes, et deux semaines avaient suffi pour imprimer les douze cahiers du premier tome : de *Avenue Arequipa* à *Rue Damasco*. Les miracles avaient été nombreux, en cours de route : nous n'avions vu aucun garde de sécurité, le personnel de l'imprimerie ne s'était pas rendu compte des ponctions auxquelles nous procédions dans les réserves de papier et d'encre, et nous n'avions pas rencontré le moindre problème mécanique. Une fois les dernières caisses transférées dans mon appartement – qui avait pris des allures d'entrepôt – nous avions pu procéder à l'assemblage final à l'aide d'une vieille machine à coudre et d'une presse à vis, dont jamais je n'ai su si elles avaient été tirées d'un musée ou d'un dépotoir.

Le résultat était un peu grossier, mais robuste, et pas désagréable à l'œil et à la main. Bé n'avait pas signé le livre et, pire encore, ne l'avait pas intitulé. Il disait avoir étudié quelques titres à connotations géométriques – comme *Grand Atlas des petits cercles* – mais à vrai dire, ce détail ne l'intéressait guère. Après quelques jours de repos, nous avions finalement entrepris la tournée nocturne de la ville, afin de semer à tout vent notre bombe de papier. Nous en avions distribué quelque mille deux cents exemplaires, et c'est en grimaçant que je sortis de la voiture ce matin-là, chaque muscle de mon corps étant douloureux d'avoir transporté des kilos de révolution.

Le soleil était levé pour de bon, faisant lentement s'évaporer la rosée du capot de la voiture. J'offris le café à Bé, mais il déclina mon invitation en affirmant avoir un horaire chargé. De toute façon, nous nous reverrions incessamment puisqu'il restait encore trois autres tomes à imprimer – du boulot pour quelques mois en perspective – et qu'il comptait sur ma participation.

Il partit en traversant le parc, son sac de marin à l'épaule, et je ne le revis plus jamais.

Le Livre explosa peu après l'heure d'ouverture des bureaux. Lorsque l'Académie en apprit l'existence, en fin d'avant-midi, il était trop tard pour réagir : tous les exemplaires avaient été disséminés de par la ville, insaisissable bouffée de pollen. Les gens ne parlaient plus que de cet étrange livre – et chacun prétendait connaître un ami qui avait rencontré quelqu'un qui en avait consulté un exemplaire.

La déflagration aurait pu rapidement s'éteindre mais, heureusement, l'imprimerie de Claus van Dichoner retira le Livre à quelque dix mille exemplaires à la fin septembre, ce qui acheva d'en répandre la notoriété et l'usage. Les gens, toujours en quête d'une cause ou d'une paternité, donnèrent au Livre le nom de l'imprimeur. Bé n'était pas là pour protester – sans doute n'aurait-il pas protesté – et l'on oublia rapidement que le Dictionnaire n'avait pas toujours existé.

L'air de rien, la révolution suivait son cours. Ainsi que Bé l'avait prédit, l'Académie avait considéré d'un très mauvais œil cette soudaine abondance de matière lexicale neuve, qui sapait son autorité intellectuelle. Désireuse de reprendre le contrôle de la situation, elle retira sa citoyenneté à van Dichoner, l'exila dans quelque pays perdu d'Amérique du Sud, fit saisir son matériel et accorda les droits de reproduction exclusifs du Dictionnaire à une imprimerie agréée – s'assurant dans la foulée que les seules copies en circulation soient les versions académiques dûment édulcorées. La manœuvre était vaine : les premières reproductions clandestines, pour la plupart assez fidèles à l'originale, entrèrent en circulation presque immédiatement après la fermeture de l'imprimerie van Dichoner et furent largement diffusées sous le manteau, malgré le risque d'être surpris en possession d'un exemplaire. L'Académie fit la vie dure aux imprimeries clandestines, multipliant les rafles et les autodafés, mais elle ne mettait jamais la main que sur des carcasses de papier : Bé courait toujours, comme un souffle insaisissable, de lèvre en lèvre.

Vingt ans ont passé, et le monde n'est plus tout à fait le même. Le Livre s'est emparé de la ville comme une épidémie, bousculant les anciens mots et les vieilles certitudes. Les badauds chassent désormais l'ennui en marmonnant des mantras de mots prohibés par l'Académie, à la manière d'étranges poèmes surréalistes : *aligointure*, *azimouron*, *arasténie*... D'étranges alchimistes sont apparus, qui consacrent leur vie à la recherche d'une chose mentionnée dans le Livre – qui un *drompichon*, qui une *drulette*, qui une paire de *bouliboulis écarlates*. De temps à autre surgissent de nouvelles maladies, germent des plantes inconnues et étonnantes, apparaissent des outils dont on ignore la provenance et l'usage. Tout le monde est surpris par ces soudaines découvertes – mais puisque personne n'ose concevoir que les mots auraient pu précéder la réalité, on préfère prudemment parler de Renaissance.

Bé aurait plutôt dit Révolution.

Un collègue a récemment découvert, Dieu seul sait comment, que j'avais été jadis impliqué dans cette histoire. Les rumeurs se nourrissent d'invraisemblance, et bien que je ne sois plus qu'un misérable journaliste dont personne ne se rappelle le nom, le bruit a couru et s'est amplifié de telle manière que je suis finalement devenu l'auteur du Livre. Soucieux de ce qu'on ne m'attribue pas cette dangereuse paternité, j'ai failli écrire un article afin de rappeler la vie et l'œuvre de Bé, dont le nom n'apparaît dans aucun livre d'histoire. Je m'en suis abstenu car, n'ayant aucune preuve de l'existence de Bé, ma profession, suspicieuse entre toutes, aurait sans doute utilisé cet article afin de m'acculer dans la situation délicate et impossible de prouver que je n'ai pas moi-même été Philocrate Bé.

Il ne me reste censément qu'une seule solution : disparaître de la carte quelques mois, le temps que s'éteigne la rumeur. Je vais donc chercher un grenier discret et m'y cacher, à la manière de Bé. Mais la manière dont Bé aurait agi n'a plus aucun importance, maintenant.

Mèt bwa

Association Guyane-Québec[1]

B*ois tiféy, bois granféy*, c'est le début de la saison des pluies. Le maître suprême de l'immense royaume sylvestre fait l'état des lieux.

« Qu'est devenu l'ancêtre du territoire nord, celui qui de ses grincements lugubres éloignait les intrus, hommes à la recherche de richesses, richesses faites d'essences précieuses ?

– Sans doute a-t-il été amorfwézé[2], je ne le retrouve plus. Il s'était souvent plaint de sa condition. Il aurait souhaité courir, découvrir, vivre, au lieu d'être là, planté, immobile pour toujours, condamné à regarder sans agir. Pourtant, il faut bien que quelqu'un m'aide à surveiller ces lieux. Les hommes sont

1. Philocrate Bé avait rapporté ce récit de Guyane française, terre dont il appréciait au plus haut point la richesse des contes et légendes. Il comptait livrer une étude de folklore comparé entre Mèt bwa, le père Fouettard et le bonhomme Sept-Heures. Peut-être existe-t-elle et a-t-elle paru (auquel cas nous apprécierions au plus haut point qu'on nous la fasse parvenir). Pour fin d'inventaire, précisons que cette variation sur l'inépuisable personnage de Mèt bwa a été transmise par des informatrices membres de l'Association Guyane-Québec : Jeanne, Éliette, Aude, Augustine, Ramona, Toucine et Thérèse, avec la collaboration de Jean-Baptiste. *(N.D.É.)*
2. Métamorphosé.

si pervers qu'ils détruisent même leurs biens les plus précieux, ceux-là mêmes qu'on met à leur disposition pour les aider et leur donner une vie meilleure. Amorfwézé ?... Il me vient une idée. Ce gardien doit être homme, végétal, esprit... »

Ainsi est né Mèt bwa[3].

Mèt bwa régnait sur tout, les arbres, les rivières, les criques, les animaux et même les hommes. Pourtant, ces derniers ignoraient souvent son existence. Mèt bwa se présentait à qui il voulait. Il se présentait sous forme d'un humain quand celui qu'il rencontrait lui inspirait de bons sentiments. D'autres fois, le chasseur ou celui qui parcourait la forêt entendait parler sans voir personne.

« Que se passe-t-il ? Où suis-je ? Qui me poursuit ? »

Parfois, il faisait le brave et poursuivait son chemin, d'autres fois, il se sauvait ses jambes à son cou. Le chasseur ou même le chercheur d'or, Mèt bwa taquinait qui il voulait. On le dit bien, il est le maître de la forêt. Homme ou esprit, esprit ou homme ? Personne ne sait.

Quand il ne voulait pas s'occuper personnellement des visiteurs, il déléguait ses petits cousins, les Maskilili, qui se plaisaient, eux aussi, à tourner en bourrique celui qui se croyait fort. Ils prenaient un malin plaisir à le troubler de leurs sifflements aigus ou bien à l'entraîner dans un sentier qu'il pensait reconnaître. Mais, il se trouvait perdu au fond de la forêt, affolé, au bord de la crise. Parfois, un rire strident venait augmenter son désarroi et brusquement, le malheureux reconnaissait sa route.

* * *

Cet être énigmatique pouvait se montrer très généreux lorsqu'il se prenait d'amitié pour quelqu'un. Par exemple, à certains

3. Maître de la forêt.

chasseurs, il indiquait des coins où ils pouvaient trouver du gibier, mais il ne fallait pas en abuser. Il leur permettait de s'approvisionner pour nourrir leur famille. Il fallait cependant respecter certaines règles, sinon on pouvait s'attendre à des représailles.

Mèt bwa vieillissait, dans sa très grande générosité amicale et aussi dans sa grande amitié généreuse, il a permis à l'homme, devenu de plus en plus abusif et possessif, de détruire la richesse des richesses guyanaises. Si seulement il était resté planté dans chaque danbwa à veiller et protéger, il aurait sans doute connu Mèt fanm[4] bwa et il ne se serait pas plaint de son sort, au lieu et place de ses cousins Maskilili, nous aurions eu des Timoun[5] mèt bwa.

Mais...

4. Femme.
5. Enfant.

Mémoire et entendement

Marc Rochette

> *... si en mon pays on veut dire qu'un homme n'a point de sens, ils disent qu'il n'a point de mémoire ; et quand je me plains du défaut de la mienne, ils me méprennent et me mécroient, comme si je m'accusais d'être insensé. Ils ne voient pas le choix entre mémoire et entendement.*
>
> MONTAIGNE, *Essais.*

D'ailleurs, si un jour on m'avait dit que j'allais finir par échouer ici, je ne l'aurais pas cru. Regardant avec condescendance l'auteur de ce pronostic, un regard de haut et de travers avec un petit sourire en coin qui se serait en un clin d'œil transformé en rire tonitruant, mais bref, je lui aurais demandé des nouvelles de sa famille. Remarquez qu'on aborde souvent la question de la famille, pour changer de sujet – comme parfois on glisse un mot à propos du temps qu'il fait, des projets de vacances prochaines ou on s'informe d'un collègue rencontré par hasard – soit, mais aussi, surtout, pour dénigrer le pauvre bougre qui a eu le malheur de se mêler de ce qui ne le regarde pas, en le jetant à côté de ses pompes par l'introduction d'un sujet de nature émotive, et qui concerne son émotivité à lui, qu'il ne pouvait voir venir. Bref, et plus simplement, je lui aurais ri au nez. Évidemment, ça n'est jamais arrivé. Le sort est suffisamment ironique pour m'avoir privé de ce plaisir. M'envoyer dans ce trou merdique sans même que j'aie pu un jour rigoler aux dépens de celui qui m'aurait mis en garde. Et j'y suis, à Sainte-Perpétue-du-Fond-des-Bois. Enfin, pas tout à fait, ce qui pousse ici ne pouvant en toute décence être qualifié d'arbre. Disons le fin fond de la Sibérie, Sainte-Hénédine-du-Lac-Perdu, Moustiquebourg, Saint-Wenceslas-de-la-Froidure-Éternelle, Lichenville, ou encore mon vieux, avec le sarcasme dont seule est capable la réalité, Fond-du-Lac, Saskatchewan.

* * *

Je suis un hégirie. Voilà pourquoi je repose maintenant dans ce Fond-du-Lac. J'ai toujours possédé un flair surprenant pour me tirer des pires merdiers, avoir l'air de maîtriser la situation alors que je sais l'ensemble des circonstances vasouillant, et me pousser de là avant que tout s'effondre. Cette fois-ci, travaillé au corps, lentement mais implacablement, par je ne sais quel démon intérieur, je suis resté jusqu'à la fin, jusqu'à trop tard. Envahi par la profuse et stupéfiante sérénité de celui qui sait la catastrophe imminente, inévitable. Imperméable à tout reproche, à tout l'opprobre dont j'allais me couvrir. Heureux, d'une certaine manière, d'avoir su reconnaître cette situation idoine qui allait me délivrer enfin de l'angoisse du lâche, de la pauvre cloche habituée à regarder la merde monter doucement jusqu'à la lippe, jamais certain que l'opportunité se présentera de mettre les bouts afin qu'un autre s'y noie à ma place.

Toutefois, cela aurait pu se terminer plus tragiquement. Disons que j'ai, encore une fois, tout de même été chanceux.

Il faut savoir que j'ai toujours su reconnaître et saisir les occasions qui se présentaient à moi. Un sixième sens, une faculté inhérente à tous les magouilleurs de l'humanité, je suppose.

Il y a quarante-huit heures, je travaillais pour une étude d'avocats. On m'y employait comme clerc accomplissant diverses tâches : trier le courrier, archiver les documents, donner un coup de main aux secrétaires lorsque le flot de documents à saisir paraissait insurmontable. C'était là un emploi un peu ingrat, certes, mais qui ouvrait tout un univers d'éventualités pour qui a le flair. Or, je me targuais de le posséder. Par exemple, un jour, je surpris cette conversation entre deux membres du barreau, à la sortie de leur réunion quotidienne.

« ... le dossier Amadou Ante Béla ?

– Je ne sais trop. Cela devient de plus en plus complexe et risque de nous échapper.

– Problèmes de procédures ou de substance ?

– Un peu des deux. D'une part, le juge vient de suspendre les audiences jusqu'au 6 août, se rendant aux arguments de la partie adverse. D'autre part, Mme Béla nous a remis la déposition du seul témoin des événements. Elle avait été « momentanément égarée » par la bureaucratie soudanaise. De plus, elle est écrite dans la langue d'origine de ce M. Abou et il semble qu'il n'y ait pas un seul traducteur sur ce foutu continent qui ait même jamais entendu parler de ce patois qui porte l'improbable nom de doumali... »

Le reste de la conversation importe peu. La mention de cette langue me plongea dans une vague de réminiscences.

Les steppes du Soudan, la longue savane dorée où j'avais couru tant de fois. J'y étais arrivé à huit ans, avec mes parents en mission humanitaire. Nous y étions demeurés cinq années, le temps de construire un canal d'irrigation. Je me souviens surtout de la chaleur innommable, cruelle. Du soleil ardent qui donne aux champs d'herbe une couleur dorée, trompeuse, qui les tient constamment au seuil de la sécheresse. Des lions, tigres, panthères, rhinocéros et crocodiles dont j'avais pensé, avant le départ, qu'ils seraient partout, vivraient avec nous, tous les jours, aux abords du village, pas domestiqués mais peu s'en faut, je n'avais rien vu, sinon des antilopes un jour au loin. Avant d'y être, je me voyais déjà courir et me rouler sur le sol avec les lionceaux, aller nager à la rivière parmi les éléphanteaux, sous le regard protecteur de leurs parents, caresser l'encolure soyeuse des gazelles qui mangeraient des herbes dans ma main. En fait, il y avait là une poignée de Belges, de Français et de Québécois, dont peu avaient des enfants, tous plus jeunes que moi. Heureusement, les Doumalis étaient nombreux et les enfants de mon âge, multitude. Au début, dans la naïveté propre à cet âge, j'avais demandé à ma mère s'ils souffraient d'avoir ainsi été brûlés tellement ils étaient noirs. À la longue, me liant d'amitié avec certains d'entre eux, nous avions réussi à nous comprendre. À la longue, j'avais appris leur langue. Et, finalement, avaient pris forme les amitiés indéfectibles. Il y avait Papé, le nobile. Je le décrivais ainsi à mes parents parce qu'il ne pouvait rester en place, mais n'arrivait jamais à faire quoi que ce soit d'utile ou d'efficace. Il y avait Mamadou, le couffeur, qui se déplaçait comme un boxeur et nous donnait toujours un coup de poing sur l'épaule ou la poitrine en lieu et place de salut. Il y avait encore Ubay, le nigame, je ne me rappelle plus pourquoi. Que d'aventures nous avions vécues ensemble !

Comme ce ne sont que des souvenirs et que je ne me trouve pas encore au seuil de la mort, ils n'ont pas acquis cette caractéristique essentielle, pour les rendre éternels, d'être les derniers, alors passons. L'important est que j'avais appris leur langue. Que celle-ci allait maintenant m'ouvrir des portes autrement inaccessibles. Ce jour-là, l'esprit habité par les souvenirs et les projets que cette occasion allait me permettre d'entreprendre, j'errai longtemps, fiévreusement, avant, par un hasard étrange, de faire la rencontre de Philocrate Bé. Je ne l'appris que plus tard, mais il se trouvait depuis quelques jours dans notre grande ville américaine, toute de verre, de néon et de ruelles sordides. Ce soir-là, je fus presque surpris de me retrouver devant un petit café où j'avais mes habitudes, poussiéreux, assoiffé, la tête tourbillonnant encore de la danse effrénée de la mémoire et de l'ambition ouverte par la conversation des magistrats.

Je m'installai à une table devant les grandes fenêtres de la façade et me mis à concocter mon plan à grands coups de stylo sur un cahier. Tout près, à ma gauche, il y avait un homme sans âge, assis à la table de l'encoignure. Dans le jour baissant, l'ombre déjà l'avait atteint sournoisement, proie première, sans doute, de la nuit proche qui pourtant ferait de moi sa seule victime.

* * *

Tout serait fort simple. Il suffisait de m'improviser traducteur, de jeter un coup d'œil à la fameuse lettre, d'en rajouter un peu, disons de constater ou prétendre que la lettre n'était pas tout à fait intelligible – « ... vous savez, ces langues vernaculaires proposent un lexique fort restreint et souvent très métaphorique... » –, que certains éléments importants n'ont pas été abordés... Je me retrouverais ainsi dans l'obligation de rencontrer le témoin en quatrième vitesse. Et me voilà parti au Soudan pour un petit pèlerinage dont je reviendrais en sauveur, augmentation et prime à la clé. Facile. J'avais déjà monté des combines bien plus tordues que celle-là, d'autant plus que ce coup me permettrait d'entrer dans les bonnes grâces du magistrat et de ses confrères. Ma pierre aurait fait deux ricochets, et les probabilités demeureraient élevées qu'elle puisse en réaliser d'autres.

Saisi par un élan d'enthousiasme qui me prit à l'improviste, sur une nouvelle page du cahier, j'inscrivis en gros caractères *Audaces fortuna juvat*, croyant ainsi, peut-être, conjurer le mauvais sort et convier les bons esprits à ma réussite. En fait d'invitation, je fus alors surpris d'entendre une voix chaude et profonde dont je ne sais quoi dans la sonorité me permit de comprendre que c'est à moi qu'elle s'adressait.

« *Albo lapillo notare diem !* »

Je me retournai pour apercevoir cet homme, à la table du coin, mélange singulier de lord anglais et de bourgeois vieille France, me regardant plein d'une équanimité qui me fit hésiter sur l'espèce de fantôme de sourire persistant sur son visage.

« Je vous demande pardon ?

– *Albo lapillo notare diem !* Ce n'est pas tous les jours que l'on rencontre un homme qui sache utiliser ce bon vieux latin. Je vous prie de pardonner mon intrusion, mais vous écriviez avec tant d'enthousiasme que je n'ai pu m'empêcher de jeter un coup d'œil sur votre cahier.

– Ça va, ce n'est pas très grave, répondis-je, en me demandant si je pouvais avoir écrit quelque chose d'incriminant.

– De nos jours, les gens ont l'habitude de prendre ce qu'ils ont sous la main, pourvu que cela ressemble à ce qu'ils connaissent déjà, manière qui, il est vrai, possède certains avantages, mais nous fait cependant oublier qu'il existe d'autres mots, d'autres langues pour nous aider à appréhender cette réalité dont nous ne cessons pourtant de nous réclamer. Comme si celle-ci n'existait que *hic et nunc* ! »

Malgré les propos vaguement moralisateurs qu'il me présentait, je me dis que l'homme n'avait saisi que cette dernière phrase écrite, il est vrai, dans un excès un peu fiévreux et dans des dimensions excessives. J'en arrivai à cette conclusion en constatant l'attitude débonnaire et rieuse de l'homme, comme s'il s'étonnait lui-même par son discours.

« Oh ! vous savez, ce sont là des vestiges de mes études qui subsistent par des recours aléatoires de ma mémoire », lui répliquai-je.

L'homme partit d'un grand éclat de rire.

« Voyez la vivacité de cet esprit que votre humilité compare à peu de choses. Les « recours aléatoires de la mémoire » sont une jolie image.

– J'ai dû lire ça quelque part...

– Et alors ? En fait, voilà qui serait encore mieux. Vous l'avez lu, retenu et utilisé à un moment propice, ce qui démontre hors de tout doute trois faits : primo, vous lisez ; secundo, vous êtes un homme d'une, hélas, trop rare sensibilité lexicale ; tertio, ce faisant vous prouvez la justesse de l'association. C'est tout à votre honneur. »

Peu habitué à recevoir de tels éloges, je me tins coi, incapable de répondre.

« Mais je sens que je vous gêne et je m'excuse de m'être ainsi immiscé dans votre réflexion. Permettez-moi de me présenter : Philocrate Bé, chercheur de mots. »

En disant cela, il se leva, me tendit la main que je serrai, ramassa son chapeau, le mit et me dit avant même que j'aie retrouvé l'usage de la parole :

« Il m'a fait grand plaisir de converser avec vous. Je vous souhaite une belle soirée et, qui sait, à une prochaine rencontre. »

Puis il sortit. Me laissant tout hébété et engaillardi par sa générosité à mon égard.

* * *

Je peux le faire, que je leur ai dit. Et ils m'ont cru. Enfin, ça n'a pas été si facile. Ils m'ont questionné, ont vérifié que je n'avais pu consulter le dossier, se sont informés quant à la validité de mon témoignage et, finalement, m'ont donné une page à traduire. La langue me revint rapidement et je traduisis en un tournemain cette page où on constatait l'identité du témoin et sa présence sur les lieux du crime au moment propice. La dame Béla, qui baragouine à peine le français, leur servit de correcteur. Elle approuva le tout. On me confia alors, heureux de tomber sur un traducteur providentiel, le reste de la déposition. La suite de mon plan ne fut pas difficile à mettre à exécution. Comme le texte était plutôt long, je mis une semaine pour leur présenter une première version dans laquelle je laissai certains éléments cruciaux plutôt nébuleux, en offrant par exemple trois versions plausibles et contradictoires d'un passage clé. Je leur expliquai que cette langue m'échappait parfois, que la syntaxe particulière – la position du mot pouvant en faire l'équivalent d'un substantif ou d'un verbe, selon le sens – et certains syntagmes, dont le contenu sémantique devenait glissant vu le style hautement figuré, me donnaient du fil à retordre. Dans les faits, la traduction me prit à peine plus d'une journée, j'utilisai le reste du temps à trouver des arguments et à les polir un peu. L'exercice s'était révélé fort simple, plus que je ne l'aurais moi-même cru, sinon pour un mot – *moubilem* –, le seul que je ne connaissais pas. En réfléchissant un peu, j'avais conclu par un raisonnement analogique et paradigmatique que le mot *moubia*, un nom qui signifie littéralement « qui voyage beaucoup tout en se tenant à l'écart des hommes », devait constituer la racine de *moubilem* qui se voyait ici décliné par une particularité grammaticale inconnue de moi, mais je soupçonnais alors dans notre langue l'équivalent d'une antéposition de l'attribut du sujet. De toute façon, ainsi traduite, la phrase se tenait et donnait tout son sens à la déposition. Évidemment, elle faisait partie de celles dont je me servis pour convaincre les magistrats.

N'ayant moi-même pas explicitement mentionné cette éventualité, ils convinrent que le seul moyen de sortir de cette impasse était pour moi d'aller au Soudan rencontrer le témoin et lui demander des éclaircissements. Eux-mêmes s'étaient gardés de le faire : la veuve Béla, larmoyante, leur avait laissé entendre que ce M. Abou ne parlait pas d'autre langue que le doumali. Voilà. Mon pèlerinage était dans la poche.

* * *

Il y a des hommes déjà condamnés à mourir et des hommes qui n'ont pas encore commencé à vivre.
[...]
Il y a des gens qui savent boire de la vodka et des gens qui, tout en ne sachant pas boire de la vodka, en boivent tout de même.

Isaac BABEL, *Comment cela se passait à Odessa.*

Vous dire que le voyage fut magnifique représenterait un manque total d'égards pour les émotions que j'y ressentis et les souvenirs qui m'en restent. Le pays était tel que je l'avais laissé. Par une étrange coïncidence, ce M. Abou résidait dans le village où j'avais séjourné enfant, Kassarah sur le Bhar-el-Djebel, le fleuve irriguant la contrée doumali que j'affectionne tant.

Il faisait toujours aussi chaud. À Bor, où est situé l'aéroport assurant le transit depuis Khartoum, je pris une chambre et louai un véhicule. J'y passai la première nuit et ne partis que le lendemain pour ma destination finale, cent quatre-vingts kilomètres plus loin, en plein cœur de la brousse.

Pendant plusieurs heures, je suivis le lit du fleuve jusqu'à cette petite bourgade de paillotes qui n'avait à peu près pas changé depuis vingt ans. Je remarquai en arrivant les couleurs vives et dépareillées des vêtements que portaient les résidents. Il y a vingt ans, la plupart allaient nus. Je ne reconnus personne, ce qui, à bien y penser, faisait mon affaire. Je sympathisai avec quelques villageois tout surpris de me voir parler leur langue plutôt que l'arabe, langue du pouvoir, l'anglais ou quelque autre patois incompréhensible et insensé. Je me renseignai à propos de cet Abou, me rendis chez lui. Comme il n'y avait personne, je décidai de m'offrir une excursion dans les environs pour le reste de la journée. Ce soir-là, j'installai un campement de fortune non loin du village, sur les rives du Bhar-el-Djebel, allumai un feu et, après avoir rêvassé des heures au passé comme au futur sous la lumière des étoiles, je dormis tel un petit garçon dont les rêves sont emplis de lions et d'éléphants.

Le lendemain, troisième jour, je m'éveillai dès l'aube, mangeai, puis partis à pied vers le village. Cette fois, Abou se trouvait chez lui. Il m'accueillit sans montrer aucune surprise, m'offrit du thé. Jamais il ne me demanda ce que je faisais là. Par contre, il me fixait avec beaucoup de sérieux et finit par me dire, en doumali :

« Tu ne me reconnais donc pas ? Si je me nomme 'Ubaydallah Abou, ici, on m'a toujours appelé Ubay. Si je me souviens bien, tu as un jour ajouté à cela le nigame, celui qui est neutre, qui ne se compromet pour rien ni pour personne. Tu m'appelais ainsi parce que, quand le couffeur me demandait de reconnaître qu'il était le plus fort, je répondais *bolia lawé*, le vent souffle, c'est comme ça ; au nobile qui me demandait qui est le plus rapide, *bolia lawé* ; à toi, qui me demandais qui est le plus intelligent, *bolia lawé*. Le vent a beaucoup soufflé. Regarde aujourd'hui, Mamadou est mort à Kosti, par la main des pâlots musulmans qui ont défait Garang. Papé est parti si vite vers Khartoum que nul ne l'a plus jamais revu. Peut-être a-t-il oublié les gestes pour s'arrêter. Mais le vent souffle encore et il vient de te porter vers moi avec toutes ces richesses d'Occidentaux et l'âme comme un papillon. Il souffle parfois drôlement... »

Je ne suis pas demeuré auprès de Ubay. Je l'ai écouté un temps me parler de Papé et de Mamadou en une longue mélopée, je me suis trempé l'âme dans la chronique de ce qui passe et j'en ai eu marre du Soudan, du souvenir et surtout du vent inlassable. Je devais pourtant le questionner, jouer mon rôle d'officier juridique. Malgré le soleil, déjà haut et fort, j'avais l'impression de tomber dans un puits, de plus en plus loin de la lumière du jour. Le témoin se trouvait être mon vieux pote. Il m'apprenait que mes autres vieux potes n'étaient plus, or il nous reste toujours trop de vie après la mort des amis. Je ne me sentais pas assez vieux birbe pour rester là à discourir sur le destin, à ratiociner sur le bon vieux temps. Le passé n'était plus ; je n'avais pas reconnu son seul véritable émissaire. À quoi m'étais-je attendu en venant ici ? Ce matin, j'avais l'esprit allège ; Ubay et sa mise à jour pesaient, eux, soudain, très lourd. Je ne ressentais plus qu'une envie profonde de partir, vite. Toutefois, j'avais une tâche à accomplir. Ne pas m'en acquitter revenait à un suicide professionnel. Et puis après, qui le saura ? ai-je pensé stupidement. De toute façon, j'aime mieux mourir sous le feu des projecteurs, en plein jour, que de mourir d'ennui. *Audaces fortuna juvat*. Je ne lui ai donc posé aucune question

– qu'y avait-il à ajouter ? –, je l'ai seulement remercié de m'avoir reçu puis j'ai mis les bouts. En retraversant le village, j'ai aperçu deux blancs qui se faisaient escroquer par leur guide en achetant de menues poteries aux femmes du village. Faut-il être occidental et con comme la lune pour venir si loin se faire fourguer une camelote de bazar à prix d'or en repartant heureux ? En effet, le vent souffle parfois dans de drôles de directions.

* * *

Puis, ce fut le retour, et les événements se précipitèrent. Tout alla à merveille jusqu'aux audiences. Au bureau, on me considérait, me donnait des tâches moins viles à effectuer. Les secrétaires me donnaient pour la première fois du *Monsieur* et les avocats, devant qui j'avais toujours paru invisible, me concédaient les *Bonjour, comment allez-vous ?* si rares auparavant qui montraient maintenant que j'avais prouvé ma valeur. Le jour où ma traduction devait être présentée en cour, on me fit venir au tribunal. Un léger malaise s'empara de moi quand je vis les avocats de la partie adverse. Deux d'entre eux étaient ces acheteurs de pacotilles aperçus au Soudan. Je ne mis pas long à comprendre ce qu'ils étaient allés faire là et je me maudis de ne pas avoir abordé avec Ubay le véritable motif de mon voyage. Néanmoins, j'avais confiance en ma traduction, ma seule inquiétude réelle tenant dans le fait que mon vieil ami avait pu leur révéler d'autres détails sur l'affaire, détails qui échapperaient aux avocats de ma firme. Après tout, il n'était pas difficile de rencontrer sur place un habitant qui parle à la fois doumali et arabe. La tension augmenta d'un cran – sueurs froides et crampes – à l'ouverture des audiences. Lorsqu'on me fit venir à la barre, c'est à peine si j'arrivais à me contrôler. Mon avocat commença à m'examiner. J'admis avoir rencontré

M. Abou et longuement conversé de l'affaire avec lui, je donnai des éclaircissements sur ma traduction. Je repris un peu de contenance. Je dirais même que mes propos fort doctes sur les subtilités lexicales et syntaxiques du doumali en impressionnèrent plus d'un et captivèrent au plus haut point le juge. Cela se corsa avec l'autre avocat. Il me demanda de préciser les circonstances de ma rencontre avec M. Abou. Les sueurs froides revinrent. Il me fit répéter les questions que j'avais posées à l'auteur de la déposition. Les crampes signalèrent leur retour au moment même où il exigea des précisions sur l'étymologie et les subtilités des désinences du doumali en ce qui concerne le mot *moubilem*. Lorsqu'il me remercia, je croyais m'en être bien tiré malgré la tension intense qui m'habitait. Je regagnai mon siège au fond de la salle.

Ça ne collait pas. Il s'était contenté de me faire reprendre certains éléments de mon témoignage, ceux-là mêmes qui constituaient la pierre d'assise de l'argumentation de mes avocats alors qu'il aurait dû chercher à me discréditer comme témoin. Je ne comprenais pas la stratégie adverse. On fit venir un psychosociologue à la barre. Son témoignage me fut perdu, je tentais de me détendre. Je fus vaguement conscient que c'était au tour des autres d'interroger leur témoin. Il n'y en avait qu'un seul. J'entendis son nom quand on l'appela, mais ce ne fut qu'en le voyant que mon esprit fit l'association entre son identité et ce qu'il représentait pour le procès. Et c'est là qu'elle s'est pointée. La vraie. Pas celle des animateurs de radio qui annoncent les probabilités d'averses, ni celle qu'on éprouve devant le vol d'approche de la guêpe. Celle qui vous entre dans le corps et vous vire tout l'intérieur comme une crêpe, transformant un léger bouillonnement en acidité totale. La seule. La vraie. La panique intégrale.

La défense venait d'appeler à la barre M. 'Ubaydallah Abou.

* * *

Je n'ai pas pris la peine de soutenir le regard intrigué et vaguement vindicatif, pour l'instant, de mes avocats. Je me suis levé. En sortant, j'ai pu entendre le témoin se nommer et jurer de dire la vérité, toute la vérité, en français. Je ne tenais pas à l'entendre donner sa version des faits. Les avocats de la table opposée m'avaient regardé retourner m'asseoir avec un petit sourire discret, ils devaient maintenant observer la déconfiture de leurs adversaires. Dans le hall, je crois que quelqu'un a voulu m'arrêter. J'ai foncé. Passé les portes, au grand air, j'ai hésité une seconde, une seule, avant de me décider pour la droite. Et je me suis mis à courir. Moi qui n'ai jamais été très sportif, je me découvrais soudain un grand talent de coureur de fond. Le grand Zatopek, Bikila l'éternel, le soldat légendaire de Miltiade et Hermès eux-mêmes se retrouvèrent rapidement loin derrière moi. Le souffle parfaitement taillé pour ce genre d'activité, les muscles et les gestes en parfaite synchronisation, je fonçais vers cet espace apaisant, ce havre que je savais exister quelque part, au loin. Je ne savais pas où ; en continuant assez longtemps, je finirais bien par l'atteindre, dussé-je courir jusqu'à la Terre de Feu. Peut-être cela se serait-il produit si ma vessie, malmenée par toutes ces hausses et ces baisses de pression, n'avait réussi finalement, dans ses efforts répétés pour attirer mon attention, à faire entrer un grain de sable dans la belle mécanique que j'étais devenu. Ma course m'avait amené dans un quartier industriel et j'avisai un stationnement de poids lourds assez spacieux et déserté pour que j'y pénètre et entreprenne mon affaire. Je me glissai derrière une remorque de cinquante pieds afin de vidanger. Cela me permit de réfléchir un peu. Non seulement j'étais devenu le gille du monde judiciaire et de la ville en général, en plus d'être exposé aux foudres de mes patrons comme à leur avis de licenciement, mais je m'étais placé dans la situation du parjure. On allait m'accuser d'outrage au tribunal, d'atteinte à magistrat, etc. Je serais, au mieux, condamné à une amende astronomique et à une période de toute façon beaucoup trop longue à l'ombre. Très peu pour moi. Je n'avais qu'une seule porte de sortie : disparaître. Magistral, mon esprit, qui venait de prendre la relève de mon corps, m'indiqua que le meilleur moyen de locomotion pour ce faire était le véhicule de Transport Mercure qui se trouvait judicieusement derrière moi.

La porte arrière n'était pas verrouillée. À l'intérieur se trouvaient une multitude de caisses dont deux semblaient assez grandes pour que j'y prenne place. J'en ouvris une et y découvris une motoneige. En retirant les matériaux de bourrage, je pouvais me recroqueviller sur la banquette. J'eus un peu de difficulté à refermer convenablement la porte de la remorque. J'y parvins en plaçant le loquet de verrouillage en équilibre précaire sur son taquet de soutien ; le choc de la fermeture suffit à le faire tomber en place. Dans l'obscurité, je réussis en tâtonnant à atteindre la boîte ouverte. Le plus difficile fut de refermer la boîte de carton renforcé une fois à l'intérieur. Mais on risquait simplement de remarquer que celle-ci fermait mal, pas vraiment qu'elle avait été ouverte. Épuisé, dans les ténèbres, en position fœtale, le sommeil ne fut pas long à me gagner. Je me souviens vaguement que la remorque se soit mise en branle, puis du doux roulis de la route. Les jambes et une épaule ankylosées, je fus réveillé par des bruits étranges que je n'arrivai pas à identifier. La caisse fut secouée par un choc brusque et commença à se déplacer. Étais-je arrivé à destination ? Je fus soulagé d'entendre parler anglais à l'extérieur ; sans doute avions-nous quitté la province. Je saisis, des propos des manutentionnaires, juste assez pour déduire qu'il s'agissait d'un transbordement, non d'un déchargement. J'étais tenaillé par une faim et une soif cruelles, mais nulle occasion ne se présenta qui me permît de sortir de ma cachette. Au bout d'une heure environ, les bruits de moteurs me laissèrent croire que je me trouvais maintenant dans un avion, fait confirmé ensuite par la rapide accélération et les secousses qui suivirent. Prisonnier volontaire que j'étais, je ne pus que me rendormir.

* * *

Ma vessie m'a une fois de plus ramené à la réalité. J'avais beau ne pas lui avoir fourni de matière première depuis des heures, des jours peut-être me signalait mon estomac soudain lui aussi réveillé, elle avait tout de même travaillé fort et s'était emplie à mon insu. Autour, tout semblait immobile et anormalement silencieux. Au bout de longues minutes d'écoute, j'ai pris le risque de bouger, de jeter un coup d'œil hors de la boîte. Je me trouvais à l'air libre. Il faisait nuit. J'ai soulagé mon corps et, alors seulement, j'ai jeté un véritable coup d'œil aux environs. Le choc fut assez grand pour que je doive utiliser la caisse comme béquille. Devant moi, un petit bâtiment en tôle. Audelà et à droite, un village rudimentaire, peut-être une quinzaine de bâtisses. Derrière moi, un lac qui semblait infini sous la lune. Ailleurs, tout autour, un semblant de forêt. Était-ce là le havre auquel je rêvais avant de me retrouver dans cette caisse ? Je voulais fuir, certes, mais pas m'expédier de mon propre chef dans ce lieu tout droit sorti d'une BD de seconde catégorie. Là-bas, on devait avoir émis un mandat contre moi et, sans doute, il ne serait pas aisé de me retrouver ici, mais que pourrais-je bien faire dans ce bled désolé ? J'ai décidé d'explorer le patelin pour trouver le moyen qui me permettrait d'en repartir au plus vite. Je n'ai rien trouvé. Ce qui faisait office de rue n'était en fait qu'un espace dégagé recouvert de gravier. Une allée unique et dormant dur. Puis, une luminosité comme je n'en connaissais pas est apparue au-dessus des toitures. Malgré les nimbus qui jonchaient le ciel, pas de traînée rosâtre, simplement un trait d'une blancheur éclatante sur l'horizon. La barre du jour qui bascule d'un coup dans le matin. Et la faillite de ma fuite m'est apparue dans toute son étendue. Autour des bâtiments, des tourbières immenses, une forêt de sapins rabougris, d'épinettes rachitiques et de chétifs bouleaux. Rien d'autre. Pas de champ cultivé. Pas d'aéroport. Pas de trouée signalant une route. Que ce semblant de forêt comme garniture de podzol à perte de vue.

* * *

On m'a appris plus tard le nom du bled qui avait fini par s'éveiller. Fond-du-Lac, Saskatchewan. J'ai déduit de ce qu'on m'en disait que je venais d'y arriver par le seul lien avec le monde extérieur, un hydravion de ravitaillement bimensuel. On m'a aussi dit qu'il existe un aéroport où se posent deux ou trois bimoteurs par semaine à l'est, à Stony Rapids, après un peu plus de cent kilomètres de brousse ou de canot. À l'ouest, il y a même une mauvaise route, de l'autre côté du lac Athabasca, qui relie Fort Chipewyan à Edmonton en passant par Fort McMurray. Mille kilomètres de solitude et de cahots, en plus des quatre cents kilomètres de taïga ou deux cents kilomètres de canot pour atteindre Fort Chipewyan. Je suis résigné, accoudé au bar de la pourvoirie de Jack Duperron. Celui-ci m'a offert gîte et couvert jusqu'au prochain ravitaillement si je l'aidais à la plonge et aux menus travaux d'entretien. Il n'a pas posé de question à la suite du récit rocambolesque de mon arrivée. Son coup d'œil insidieux, perçant, a suffi. Il ne sait trop dans quelle magouille j'ai trempé pour me retrouver ici à mon insu, mais a compris fort vite que je ne menaçais en rien la quiétude du village. Philosophe, il a souri, m'a donné une tape sur l'épaule en disant :

« Ça pourrait sans doute être pire pour toi, mon vieux. »

Tu parles.

* * *

Les riches vacanciers venus chasser et pêcher dans ce qui n'est finalement qu'une pourvoirie commencent à entrer. Ils ont l'air heureux même si certains semblent ébranlés de constater que tant de brûlots, de mouches à chevreuil et de frappe-à-barres puissent survivre dans cette lande désolée. Je m'affaire à placer les derniers lampions sur les tables quand une voix surgie de mon passé récent me fige le sang.

« Ah, jeune homme, je savais bien que je vous retrouverais un jour ou l'autre ! »

Philocrate Bé. Stupéfié, je le regarde sans rien dire.

« Je vous trouve encore plus étonné de me voir ici que je ne le suis moi-même. Allons, ne soyez pas surpris, il n'y a pas que la mémoire qui use des recours aléatoires... Par contre, si vous le permettez, je vais aller me rafraîchir un peu. Nous aurons tout le temps de nous parler après le dîner. »

* * *

Le repas s'est déroulé sans anicroche. Tout de même, ça me change un peu des chariots de courrier et des classeurs. J'apporte deux whiskys à la table qu'occupe Philocrate Bé. Il est seul.

« Bonsoir jeune homme. Serait-ce, par hasard, l'heure des contes ? »

Encore sous le choc de la suite d'événements qui m'ont amené ici, l'homonymie me fait hésiter.

« Faites-moi alors l'honneur de commencer, dis-je afin de dissiper tout malentendu.

– Comme vous le voulez. »

Il me raconte alors, très simplement, sa fascination pour les mots, toujours à l'affût d'une nuance de sens, d'une connotation, d'un néologisme. Ce patelin au nom francophone, peuplé de francophones, d'Amérindiens et d'anglophones, et isolé du reste du monde doit bien receler quelques archaïsmes en usage nulle part ailleurs, certains emprunts particuliers et, avec un peu de chance, un ou deux néologismes. Tant qu'à se trouver au Canada, pourquoi ne pas profiter de ses ressources naturelles, ainsi, grosso modo, explique-t-il sa présence ici. Cette fascination pour le lexique me subjugue et j'écoute avidement les explications de ce dilettante de l'existence, mais exégète du vocabulaire.

« Tenez, un exemple. Je ne suis arrivé qu'hier soir – il se trouvait dans le même avion que moi ! – et déjà, ce matin, j'ai cueilli ce mot dans la bouche du guide, John Lefebvre, un excellent homme : *koubraüss*. Selon les dires de John, j'ai compris que cela signifiait à peu près « homme qui exerce une étrange fascination, une séduction bizarre, tenant à la fois à sa grande culture et à sa personnalité affable ». Il semble que ce mot leur ait été offert par un groupe de hip hop venu se reposer ici après une tournée et presque tous les habitants l'auraient adopté peu à peu. Avec une telle trouvaille, vous comprenez que mes recherches ne font que commencer. Mais cela suffit, même si je connais votre attachement au langage, je dois vous ennuyer avec tous ces détails. De toute façon, je brûle d'envie d'entendre le récit de vos aventures. »

Émerveillé par l'existence que semble mener cet homme autant que par ses propos, envoûté en quelque sorte par ce koubraüss, je lui livre alors la chronique intégrale de mes mésaventures depuis notre première rencontre.

Il ne peut s'empêcher d'éclater de rire.

« Ah ! Vous êtes un de ces hommes possédés par le discours et l'envie de défier l'existence ! Si vous m'aviez dit cela auparavant, je vous aurais mis en garde. Vous voilà membre d'une confrérie prestigieuse d'hommes piégés par les mots qu'ils ont eux-mêmes assemblés, coincés par le discours qu'ils tenaient à mettre au monde. Je vous livre, si vous le voulez bien, succinctement, un aperçu de votre arbre généalogique, une liste partielle de vos frères d'armes. Pensons d'abord à ce brave Funes, personnage de Jorge Luis Borges, qui ne vit plus, prisonnier de sa mémoire phénoménale l'obligeant à occuper le présent en racontant le passé ; vient ensuite l'inévitable César et son « Veni, vidi, vici », qui n'a pas su voir la trahison qui se préparait et a été vaincu ; puis l'honorable Sir Winston Churchill, qui a tellement crié au loup nazi, tel le berger du conte, qu'on a fini par ne plus le croire, avec le résultat que l'on sait. Toutefois, à bien y penser, vous êtes sans doute plus près de James Earl Carter, dit Jimmy, qui, tel un hoplite moderne, n'a pas su accepter la leçon qu'un de ses successeurs, William Clinton, pour ne pas le nommer, a si bien su mettre en pratique ; on lui eût facilement pardonné d'être sot, mais on n'a jamais accepté qu'il soit brillant, qu'il manipule les idées et la langue bien mieux que la très grande majorité de ses électeurs. Comme le vieux Socrate, il a poussé ses détracteurs jusqu'à ce qu'ils le mettent à mort, trépas bien sûr politique dans le cas de M. Carter. De même, votre flair et votre perspicacité vous ont placé sur une piste heureuse ; votre habileté à discourir vous a permis de l'explorer ; sur une telle lancée, pourquoi ne pas encore chercher à provoquer le hasard ?

Vous venez d'apprendre une grande leçon : le verbe n'est pas maître du destin, si tant est que ce mot désigne vraiment une réalité. »

* * *

Je me trouve dans une vaste solitude nordique et je réfléchis au fâcheux hasard. Tout ici va à l'encontre de la vie humaine. Le climat, l'isolement, le panorama écrasant, les moustiques incessants. C'est pourtant mon seul espace de liberté. Comme une douce ironie, je me rends compte que ces quelques instants, cette seconde où j'ai décidé de ne pas questionner le nigame a scellé mon destin, ouvert un gouffre aux profondeurs ténébreuses. La lumière était là, à ma portée, et j'aurais dû m'en satisfaire. Comme une phalène entêtée, je n'ai pas su. Je devais la voir de plus près. Me brûler irrémédiablement. Je n'avais qu'à faire mon travail auprès d'Ubay et profiter du soleil, mais il a fallu que je défie l'ordre établi, que j'essaie encore une fois d'emprunter un raccourci sans me faire prendre. J'ai manqué le coche, je suis tombé, vite et creux, loin. Avouons-le, les contingences, ces hasards de l'existence, ne m'ont jamais suffi. J'ai toujours cherché à les provoquer, à la confondre.

Et c'est moi, aujourd'hui, telle une galimacée de vantardise et d'esbroufe, qui suis confondu dans le paysage.

Bolia lawé. Le vent souffle, c'est comme ça.

Tu parles.

Je ne suis pas revenue de tout

Claire Martin

ELLE – Savez-vous, cher ami, que depuis ma mort, vous êtes bien la rencontre la plus intéressante qui m'est advenue ? Toujours des inconnus dont je n'entends pas le charabia, j'allais dire le baragouin. Il y a un petit moment que je hante les alentours sans trop bien les reconnaître, il faut dire, et personne de mon temps, personne dont je reconnaisse l'actinométrie spirite.

LUI – Je vous avoue que je ne sais pas ce que cela veut dire.

ELLE – Je ne le sais pas trop moi-même, je l'emploie pour signifier cette sorte d'aura qui émane de chacun de nous. C'est mon droit. Au reste, vous savez comme moi qu'en notre état, nous les avons tous.

LUI – Tous ? Voilà un propos inconsidéré qui me donne à penser que vous seriez cette jeune personne délurée que Monsieur avait à son service comme chauffeur.

ELLE – Mais oui, et vous êtes le secrétaire de Monsieur. Je vous ai pressenti tout de suite. En effet, le patron avait des idées bien à lui.

LUI – Il est vrai que d'habitude un homme d'affaires a une secrétaire et un chauffeur. C'était un homme très avant son temps et ce vocable masculin pour vous désigner ne le gênait en rien. Pour ma part, cela m'a donné quelque mal additionnel à vous retrouver, car j'étais ici à votre recherche et ce mot ne pouvait m'aider, au contraire. Devrait-on dire la chauffeuse ? Cela me semble malsonnant et fait plutôt penser à allumeuse, si vous permettez.

ELLE – Faites donc. Le patron prétendait que les femmes sont plus prudentes, qu'elles conduisent d'une main plus égale.

LUI – Elle sont plus *cool*, quoi !

ELLE – Plus coule ? Cela veut dire...

LUI – D'abord, cela ne se prononce pas coule, c'est un mot anglais : *cool*. En tournant la langue un peu. Cela veut dire calme, mais avec un petit quelque chose en plus. *Traduttore, traditore*.

ELLE – C'est vrai que vous savez le latin. En français, cela veut dire ?

LUI – Traducteur, traître. Ce serait plutôt de l'italien, sans vous offenser.

ELLE – Je ne sais ni l'un ni l'autre. De mon temps, les filles n'apprenaient pas le latin (quand je suis entrée au service de Monsieur vers 1920, j'avais déjà vingt-cinq ans) ni le grec. On appelait cela « les humanités ». Les garçons tiraient beaucoup de vanité de cette différence-là. Maintenant dans les autobus, où je m'introduis incognito pour entendre les conversations, et où je suis souvent pressée de toutes parts, on parle peut-être de l'humanité, mais au singulier. L'humanité souffrante, par exemple.

LUI – De quoi ? Je m'interroge. Depuis mon grand départ, ils ont tout inventé et acquis des choses qui font tout. Je me promène souvent dans les maisons, les bureaux, les avions, les magasins. Ils ont des foules d'objets pour quoi ils ont inventé aussi des mots qui ne sont pas tous gracieux et pas tous français. Quand ils ont l'air de l'être, ils sont quelquefois trompeurs. Dans une maison d'édition, où je revenais avec joie, j'ai entendu qu'on parlait d'un texte qui avait été *saisi*. Tiens, me dis-je, c'est la censure qui a envoyé ses sbires. Ce n'était pas cela du tout. Vous avez vu toutes ces choses ?

ELLE – Oui et j'ai été étonnée. Rien ne fonctionnerait sans l'électricité. De mon temps, elle ne servait à peu près qu'à s'éclairer. Chez les patrons, souvenez-vous, il y avait au salon un beau lustre très efficace et à la salle à manger, une suspension très jolie.

LUI – Alors que dans les chambres du personnel, il n'y avait qu'une ampoule, au bout d'un fil électrique, qui aurait déjà été bien suffisante pour épater nos grands-parents lesquels prenaient chacun son bougeoir en montant se coucher. Songez que ma grand-mère était née en 1850.

ELLE – Bougeoir... Voilà un mot qui doit être en passe vers la sortie. C'est la première fois que je l'entends depuis que je fus, en des temps plus... physiques... matériels... corporels ? Comment diriez-vous ?

LUI – Dans un autre ordre d'idées, je dirais remémoratif.

ELLE – Bravo ! que je fus, disais-je, exécutrice testamentaire de ma grand-tante, grande collectionneuse d'objets communs, qui laissa, entre autres, quelques dizaines de bougeoirs dont je dus disposer, comme du reste, vide-poches, cache-pot, bonbonnières, bibelots de toutes sortes. Je l'ai croisée un jour, il y a peu, qui sortait de la boutique d'un regrattier, comme on disait. C'est là qu'elle hante, car c'est là qu'ont fini toutes ses collections de bougeoirs.

LUI – Les chambres mansardées étaient occupées par les domestiques. L'homme à tout faire descendait à heure fixe, en hiver, pour remettre du charbon dans la chaudière. Je l'entendais descendre l'escalier de service. La bonne, l'escalier de service, voilà des termes dont ils ne se servent guère, maintenant. Et le charbon ? Qu'est devenu le charbon ? Qu'en font-ils ? Ils ne savent plus ce que c'est. J'entendais, un soir que j'écoutais leur télévision, un certain Raymond Barre parler d'aller au charbon. Je me demande ce qu'il voulait dire. Il avait l'air propret.

ELLE – C'est bizarre leur truc, la télévision, c'est souvent d'un ennui ! Les gens chez qui je la regarde, incognito et au hasard, ont l'air d'aimer ça.

LUI – Ennuyeux, en effet. Vous avez remarqué, on n'y parle jamais de nous. Et puis, leurs mots, leurs façons de parler. J'y entends des phrases entières qui sont construites, je vous dis pas ! Ma grand-mère dirait en ostrogoth. Par exemple : « tu sais pas c'est quoi ? »

ELLE – Et cela s'emploie à quel propos ?

LUI – Pour signifier « devine un peu » ou « tu serais étonné d'apprendre ». Je me promenais dans un hôpital – ils sont immenses, superbes et, comme il y a toujours des étages entiers qui sont inoccupés, on peut se reposer en silence de tout le bruit de la rue – et j'écoutais ce qui se disait. Ils ont des maladies, maintenant, vous seriez étonnée.

ELLE – Pire que notre grippe espagnole ?

LUI – Moins soudaines, mais plus impitoyables. Donc, j'entends une personne qui disait à une autre qui s'était perdue au hasard des corridors : « Tu cherches pour les électros et tu sais pas c'est où ? » Munie de son itinéraire, la malade est partie. « Tu sais pas c'est où, ça tutoie des inconnus, ça parle le volapuk. » J'aurais aimé lui laisser savoir que j'étais bien d'accord, mais comment faire ? Je l'ai suivie et nous sommes arrivés tous deux à l'endroit où se font les électrocardiogrammes.

ELLE – Si je me souviens bien de vous, je pense que vous êtes entré sur ses talons pour assister à la chose.

LUI – Bien certainement, mais ce sont les circonstances qui m'y poussent. N'oubliez pas que je suis condamné à voir et c'est tout. J'ai été ébaubi. La malade a donné son nom – un nom que je connais, la famille n'est pas éteinte, cela m'a fait plaisir –, son âge, son poids : soixante ans, cinquante-cinq kilos. Elle s'est déshabillée : le dos droit, le ventre plat, les seins petits et l'air en bien bonne santé. Si ma pauvre mère avait vu cela, à soixante ans, elle serait allée se coucher pour mourir, comme on disait en 1920. Elle, à soixante ans, hélas !

ELLE – À cette époque, c'était souvent déjà fait.

LUI – Avez-vous, une fois, pensé à faire ce genre d'incursion en pays inconnu ?

ELLE – Naturellement, mais j'ai choisi de suivre des patients chez des docteurs. C'est un peu pareil. Ils disent « tu » à des personnes du sexe, même s'ils ne les ont jamais vues.

LUI – Là, vous poussez un peu, nous ne disions plus « personne du sexe » pour désigner les femmes, même en 1920.

ELLE – Mais oui, le patron le disait.

LUI – Bien sûr. Vous ne me surprenez pas. Dites-moi, à part le tutoiement, les patients que vous avez... accompagnés vous ont bien un peu intriguée ?

ELLE – Ce qui m'a le plus étonnée, ce sont les messieurs dont le médecin est une femme. Pour se mettre nus, ce qu'ils acceptent sans vergogne, cela se fait en un tournemain : ils n'ont presque rien. Vous vous souvenez des dessous qu'on appelait gilets de flanelle. Cela donnait des boutons au dos. Aujourd'hui, pfftt, ils ne portent en dessous que des petites culottes plus étroites que la main et qu'ils appellent « slips », on voit tout de suite pourquoi. Une fois dans cette tenue, si je puis dire, ils se mettent à raconter leurs ennuis. On en entend ! Je pense surtout à une des docteures (maintenant, c'est avec un *e*, mais oui), que j'ai vues, ses interrogations, les réponses du patient. On se dit tout, on touche à tout, côté face, côté pile.

LUI – Ce que je préfère, c'est de suivre une jeune femme qui va, comme elles disent, « au gynéco ». Je rentre, derrière elle, dans le cabinet d'examen. Si on n'entend pas mon cœur battre c'est que je suis le seul à pouvoir l'entendre. De notre temps, la plupart des femmes mouraient sans avoir jamais été « au gynéco ».

ELLE – C'est qu'elles y seraient mortes prématurément... de honte. Ah ! on savait ce que c'était que la pudeur. Quant aux façons actuelles, ceux de 1925 ont du mal à s'y faire.

LUI – Ma chère, dans ce qui est notre état actuel, nous n'avons à nous faire à rien. Nous l'oublions de temps en temps. Il reste que la plupart des mots que j'ai entendus dans ces parages-là me sont inconnus. Ils ont des virus, des allergies. Ils prennent des antihistaminiques, des antibiotiques. Presque tous les médicaments sont des « anti » : anti-inflammatoires, antipsychotiques, antiseptiques, antiparkinsoniens, la liste est longue.

ELLE – Alors que, de notre temps, ils étaient « pour » : pour donner des globules rouges, l'Hémoglobine Deschiens – mais oui, Deschiens en un seul mot et une majuscule –, les petites pilules Carter pour le bon fonctionnement du foie, Ovomaltine pour avoir bonne mine, iodo-tannique pour les poumons délicats. Vous vous souvenez ?

LUI – Et l'huile de foie de morue pour contrer la tuberculose. Répugnant ! Il n'y avait pas un enfant, eût-il eu le choix, qui n'aurait pas opté pour la tuberculose.

ELLE – On disait consomption. Voilà encore un mot qui me semble passé à la trappe. Je ne l'ai entendu nulle part. Il ne reviendra pas en usage car il est entaché à jamais et, pourtant, comme il vient de consumer, il serait fameux pour désigner l'état de celui que l'amour dévore.

LUI – Ou toute autre passion. Cessez de croire qu'il n'y a de passion que l'amour.

ELLE – Vous avez raison. Il serait temps de m'y mettre !

LUI – Nous en avons été assez occupés de celui-là. Il devrait avoir fini de nous cassounir.

ELLE – Qu'est-ce que c'est ? Un mot de votre cru ? À quoi sert-il ?

LUI – À exprimer la fatigue, l'épuisement de l'appétit, l'anorexie amoureuse.

ELLE – À l'usage, cela deviendrait vite cassouner, les verbes de la deuxième conjugaison, c'est foutu.

LUI – Justement, je voudrais les défoutir.

ELLE – Vous devenez timoré, mon cher. Vous savez très bien que, si vous allez par là, vous devriez dire défoutre.

LUI – La quatrième conjugaison, chère amie, c'est encore plus foutu. On ne dit même plus conjugaison. On dit groupe.

ELLE – Pourquoi ? On conjugue encore pourtant.

LUI – Ah ! on s'est aperçu que ce n'était pas leur nom, ni à l'une ni à l'autre, et elles ne sont même plus quatre.

ELLE – Elles sont combien ?

LUI – Je ne le sais pas.

ELLE – Je trouve votre mot un peu triste, un peu abisouti, dépiné, pour tout dire castrinant.

LUI – N'en jetez plus. On dirait que vous semez des mauvais sorts, comme une sorcière noueuse d'aiguillettes.

ELLE – Voilà un terme que je n'ai jamais entendu, mais je crois comprendre qu'il se passe d'explication. Est-ce tout ? Je veux dire à propos des visites au gynéco ?

LUI – Je m'y amuse beaucoup. J'y vois les choses d'un point de vue nouveau. Vous avez peut-être su que, de mon temps, j'étais un homme de plaisir. C'est pour cela que j'ai été « obligé à revenir » pendant une centaine d'années ou deux, je ne sais trop, ce n'est pas moi qui tiens le compte. On avait cru qu'en revenant, la privation de tous les plaisirs, surtout les coupables – mais ils le sont presque tous... et pourquoi dire presque –, me serait intolérable, que je ne pourrais être témoin de ceux qui en jouissent encore sans en souffrir de façon infernale. Eh bien ! On n'avait pas prévu ceci : je m'amuse, je suis dé-cassouni et « dé- » comme chez Claudel – tenez, celui-là je l'ai rencontré, errant, condamné à revenir pour vanité dodue et à se promener in-reconnu aussi longtemps que le propos concernant sa semence n'aura pas été effacé, par une de ces fameuses hirondelles qui passent tous les mille ans l'aile justicière, de sur son épitaphe. Il est vrai que je n'ai de plaisirs que ceux de l'indiscrétion et de la curiosité satisfaite, mais croyez-m'en, ce n'est pas rien. Et puis, j'ai de la mémoire.

ELLE – À propos, avez-vous remarqué comment les femmes s'habillent ? Si elles avaient été dé-vêtues – revenons-y – de cette façon, à notre époque, vous seriez devenus fous.

LUI – Pensez-vous ! Si nous en avions vues deux ou trois, pas de doute, mais des milliers cela ne fait plus rien du tout ; la houppelande, le tchador, le macfarlane, le burnous et j'en ôte ne me feraient pas moins d'effet. Ce n'est pas que cela détruirait ma concupiscence. C'est qu'elle serait usée, effilochée.

ELLE – Vous voyez l'avantage qu'il y a dans l'état de revenant. Je comprends que vous vous amusiez. Je ne m'ennuie pas non plus, au point que je regrette, parfois, de n'avoir pas été plus grande pécheresse. Je crains de trouver ma punition de revenante trop courte. D'autant que ni vous ni moi n'avons été voués à l'état de fantôme. Je n'apparais à personne. Je reviens, c'est tout, et même pas dans les guéridons : ils épellent trop lentement.

LUI – Je suis très satisfait, moi aussi. Admirons les finesses de notre langue. On peut très bien dire de façon synonymique, en parlant de quelqu'un qui se fait attendre : « Il ne revient pas, nous aurions dû le voir apparaître. » Alors que, parlant de notre confrérie on fait la différence ! Oui, c'est une fine langue. Que de progrès nous avons faits. Que de beautés nous avons acquises, que de signification nous avons gagnée depuis sa naissance. Vous avez déjà lu les *Serments de Strasbourg* ?

ELLE – Oui, oui, 842 de notre ère.

LUI – Écoutez bien : « Si Lodhuwwigs sagrament que son fradre Karlo jurat, conservat er Karlus meos sendra de sua... », etc. Je ne vais pas plus loin. C'est pourtant comme cela que le ciel nous a fait cadeau de notre belle langue. En cet état-là ! Heureusement le cadeau est tombé entre bonnes mains. En moins de six cents ans, on était en plein siècle des Lumières. Les hommes avaient turbiné dur.

Elle – Il l'a fallu pour en faire cette chose si belle, si précieuse, si douce à l'oreille, si ferme sur la langue, si voluptueuse dans la gorge, si active dans la tête, si exaltante pour le cœur et si efficace pour l'amour.

Lui – Et pour tirer « serment » de « sagrament » ! Ah ! vous me faites regretter de ne plus pouvoir vous faire la cour.

Elle – Et c'est le mot « serment » qui vous fait cet effet ? Où en étais-je ? Ah ! je pensais, en vous écoutant dire votre compliment strasbourgeois, qu'il y a un autre cadeau du ciel que nous avons dû embellir considérablement, c'est nous, l'humanité. Nous sommes arrivés sur terre assez mal fichus. L'homo erectus, c'était pas très joli, comme finition... mauvais travail. Il en a fallu des soins de beauté ! Quand je pense que nous aurions pu rester comme ça, j'en frémis. Je me demande si on faisait déjà des revenants en ces temps reculés... On pourrait les interroger.

Lui – Cela nous donnerait plus de mal que les « serments ». Pensez-vous, parfois, que s'il n'y avait pas eu d'êtres humains sur la terre, les choses qu'on y trouve n'auraient pas de noms. La rose existerait toujours, mais elle ne saurait pas que c'est elle, la rose.

Elle – Elle ne serait peut-être plus là, détruite par la nature qui n'est pas une si bonne mère qu'on le dit. C'est même une sacrée marâtre certains jours.

Lui – Êtes-vous retournée à notre maison ? Excusez-moi si je change abruptement de propos, mais le temps passe. Je voudrais bien y aller avec vous.

ELLE – J'ai plutôt évité de me trouver dans nos parages. Ce serait étonnant qu'il n'y ait pas eu de transformations. On est souvent déçu. Quand j'en aurai fini avec ce pèlerinage, je filerai vers Vérone et je m'assoierai sur le balcon de Juliette. Il y a peut-être là des assassins charmants, brigandineaux contemporains des Montaigus. Le balcon est fort exigu, mais...

LUI – Voici, en tout cas, la maison qui nous était voisine. De notre temps, il y avait là une guirlande de belles jeunes filles... Tenez, voici notre maison. Ah ! j'en ai le souffle coupé !

ELLE – Voyons, quel souffle ? Regardez donc ce qui est écrit : « Tourists Rooms ». Est-ce que vous aurez le cœur d'y entrer ?

LUI – Le courage, oui. Le cœur, je ne sais pas. L'aurais-je encore, qu'il aurait souffert. Je suis mort à temps, je n'aurai pas vu les touristes entrer dans ma chambre (triste parodie des dernières paroles du marquis de Montcalm). Regardez, on a élevé partout des murs de refend. Voici le grand salon, on en a fait quatre pièces ; la bibliothèque a perdu ses rayons. Où sont passés les beaux livres de Monsieur, les Paul Bourget de Madame et ses Henry Bordeaux ? Le petit salon a perdu ses murs.

ELLE – À l'étage, voici ma petite chambre.

LUI – Je ne l'avais jamais vue.

ELLE – Je ne le sais que trop.

LUI – Ah ! pas de vains regrets. De toute façon, ce qui a été fait est, maintenant, aussi passé que ce qui ne l'a pas été. Voici la chambre des maîtres. Ah ! on n'a pas détruit le grand rangement à plusieurs corps qui tenait tout un mur. Tenez, je vais vous montrer quelque chose. Vous voyez ces petites sculptures ? Il n'y a qu'à pousser sur la rosette, tourner et... c'est là que Madame cachait ses petits secrets. Ma foi ! ils y sont encore et bien défleuris par le temps. Pauvre Madame.

ELLE – Refermez vite, c'est trop triste. Allons voir votre chambre.

LUI – Non. C'est trop mélancolique

ELLE – Alors, le garage. Je veux voir leurs voitures. Ce qu'il y a de bien dans notre état, c'est que les déplacements se font avec la vitesse de la pensée. Ah ! vous voyez, ce n'est plus ça. J'ai tendance, quand je vois qu'on a beaucoup changé les aîtres...

LUI – Aîtres... sorti d'usage, je pense

ELLE – So what ? Et nous donc !

LUI – Vous me parliez de vos tendances.

ELLE – Oui, à trouver que tout est changé pour le pire, enlaidi, gâché, déchu, profané, que sais-je encore ? La cave de Monsieur où il faisait amoureusement ses inspections, à l'aide d'un petit lumignon, en tournant une à une les bouteilles, elle n'existe plus. Elle a été englobée dans le garage agrandi.

LUI – On a englobé la dépense aussi. La dépense... j'adore ce vieux mot, employé très couramment ici, autrefois. Il fait penser à l'abondance, les provisions qui « coûtent » et qui sont protégées par le froid qu'on y ménage avec de la glace déposée entre les murs épais ; protégées aussi, dans un autre sens, par une porte à serrure dont les maîtres seuls avaient la clef. Enfin, le réfrigérateur vint...

ELLE – Ici, ce sont les touristes. Regardez-moi ces voitures et leur poussière de toutes origines. Quand je pense aux voitures de Monsieur, propres, luisantes, aussi soignées – c'était ma responsabilité – que le boudoir de Madame – la Lincoln noire...

LUI – La Packard...

ELLE – Et surtout la belle Studebaker President, bleu marine à l'intérieur comme à l'extérieur. Ah ! celle-là dans mon souvenir, elle est irremplaçable. La belle voiture !

LUI – Vous disiez voiture ? Je ne me souviens pas trop.

ELLE – Nous disions surtout automobile tout au long. L'affreux, l'abominable « char » n'est arrivé que lorsque les Québécois se sont mis à fréquenter Old Orchard et diverses plages du même acabit. Ils y allaient en voiture, même par les routes du temps.

LUI – Eh oui ! Ils partaient en automobile et ils revenaient en char. Il suffisait de peu de semaines passées sur le sable américain pour apprendre toutes sortes de mots chic : cocktails, drinks, suitcase, goggles, sport jacket, lounge, lipstick, swimming pool and so on.

ELLE – Et puis la crise de 1929 est arrivée et de tout cela il ne nous est resté que des mots que nous avons perdus, peu à peu pour la plupart. Vous me quittez ?

LUI – Oui... je voudrais, pendant que j'y suis, visiter quelques mauvais lieux. Je vous ai rencontrée avec joie.

ELLE – Moi de même. Pour ma part, je vais faire mon tour à Vérone. Soyez prudent dans votre tournée des grands ducs.

LUI – Hélas ! ma chère...

ELLE – Encore un mot, je vous prie. N'avez-vous aucun désir de vous réincarner ?

LUI – Surtout pas. Je fus Philocrate en des temps glorieux. Je n'ai pas envie de recommencer car je ne ferai jamais mieux et se réincarner, cela voudrait dire accepter la contemporanéité. Vraiment non. J'aurais peur d'être pris dans quelqu'une de leurs guerres. Adieu donc.

ELLE – Ah ! Il est déjà loin.

Comment je suis devenue francophone

Lori Saint-Martin

> *... me siento más cómoda o incómoda con el castellano, como el castellano no es la lengua mía, como no es mi lengua « natural », he tenido que hacerla más mía et hay más emoción en el momento de escribir.*
>
> Nuria AMAT.

> *There's a crow flying, black and ragged, tree to tree,*
> *He's black as the highway that's leading me,*
> *Now he's diving down to pick up on something shiny*
> *I feel like that black crow flying in a blue sky.*
>
> Joni MITCHELL.

La langue est une mer, on baigne dedans. Avant toute conscience, toute connaissance de cause, et même avant toute cause autre que le plus pur ou impur hasard. Avant même d'être et de naître on avale plein d'eau et c'est cette baignade qui forme, de force, la jeunesse.

Moi j'ai jeté mes parents avec l'eau du bain, me suis déclarée orpheline de langue alors qu'ils vivaient et parlaient encore (dans mon dos, les murmures scandalisés : que lui a-t-on fait pour mériter ça ?).

C'était eux ou moi. J'ai décidé que ce serait moi.

J'ai fait une croix sur cette langue, j'étais morte à elle. Je ne la parlais qu'au téléphone avec ma mère, de loin en loin, de moins en moins, et je la sentais rapetisser et perdre toute pertinence comme la terre lorsqu'on décolle, et j'étais heureuse, au-delà de ce qui peut se dire, de cet éloignement.

* * *

Une chose, au moins, me démarque : j'ai acquis, vers mes dix-huit ou vingt ans, une deuxième langue maternelle. Avec cette sensation d'effraction totale et d'impunité – je faisais irruption dans la maison du langage, je lui arrachais son bien – qui marque les plus grands vols. Larcin, mais aussi envolée. Au-dessus des toits, j'emportais mon trésor dérobé. Prométhée, Icare, tassez-vous ! Vingt ans et des prétentions infinies : je suis une voleuse de langue et je me prends pour une autre. Voler des ailes, voler de ses ailes volées, j'ai un fort faible pour les doubles sens. Rien n'est jamais simple, heureusement, toujours quitte ou double. Il suffit d'un peu de mauvaise volonté. *Comment se fait-il que vous soyez... ? Mais pourtant vous n'êtes pas... ?* C'est une longue histoire. Mes histoires sont toujours longues. C'est pour cette raison que je renonce habituellement à les raconter.

Ma deuxième langue maternelle, je l'ai choisie, courtisée, faite mienne. Je ne l'ai pas avalée toute crue, sans le savoir, avec le Pablum et le lait maternisé et le rockabyebaby et le cowjumpedoverthemoon. L'huître qu'on gobe d'un trait et qui laisse du sable entre les dents et un arrière-goût de sel. Les petites cuillères, le petit pot, le petit endoctrinement. À huit ans, les capacités de reproduction des sons se figent. Bien parler c'est cesser de penser. Et nous voilà dans une boîte, pour l'éternité, avec un nombre fini de lettres et de phonèmes et de mots. Finis, je vous dis. Figés, fixés, classés. Cloués au sol une fois pour toutes. Les ailes de cire fondent et on retombe, crevés, crayeux, les mains et la bouche vides, sur le sol décevant. Tout sol est par nature décevant, le ciel seul me saisit le cœur. Je ne parle pas de salut mais de *décollage*.

Je suis allée en Afrique, en Asie, à la Terre de Feu, en Islande, toujours seule, toujours sans projet, sinon le vague et lancinant désir de voir, de voir encore, d'être loin, encore plus loin. Je ne fais que marcher, regarder, m'asseoir dans les cafés. Jamais, c'est mon orgueil, je n'ai rapporté de mes voyages un seul objet. Pas de t-shirt, pas de poteries, pas de cartes postales, pas de souvenirs authentiques made in Hong-Kong. Voir, de mes yeux voir, me suffit. Je n'ai pas d'appareil-photo, la béquille de ceux qui ont peur de regarder. Si on ne porte pas, gravée en soi, l'empreinte de ce qu'on a vu, on ne mérite pas de voyager. Chaque jour, mon sac est plus léger : vers la fin, je me déleste, petit à petit, de mon linge sale. Mon idéal ? Rentrer sans rien, sinon mon passeport, les vêtements que j'ai sur le dos et, ennui oblige, un roman à lire dans l'avion. Les douaniers vous regardent d'un drôle d'air, mais les fouilles ne durent pas longtemps.

Les gens aiment tripoter des photos d'eux – ça leur fait croire qu'ils se souviennent, ergo qu'ils existent –, brasser leur petit passé. Leurs petites préférences, leurs petits souvenirs d'enfance. Ils m'ennuient à les faire périr avec leurs arbres généalogiques, leur patelin, leur esprit de famille, leur famille. Leur *solidité*. J'aime le mercure, les kaléidoscopes, les cerfs-volants, les tremblements de terre. Comment peut-on tirer orgueil de ses origines, puisqu'on n'y est pour rien ? Le plus difficile n'est pas de rester *ça*, mais de devenir autre chose. Choisir, vouloir, partir. Là est le travail, la vision, l'audace, s'il y en a. De même on n'a aucun mérite à avoir une langue maternelle. Tout le monde en a une. Aucun mérite à habiter là où on est né, à faire le métier de son père, à *continuer*. Seulement à inaugurer. Les enracinés sont des encrassés ; appartenir, c'est s'appauvrir. Tel était en tout cas le credo de mes vingt ans. Brûler des ponts, dévaster tout ce qui se trouve derrière. Renier au lieu de renouer. « Vous finissez votre nom, moi je commence le mien. » Je me suis imaginée minerai, tissu, pierre. Après l'épreuve du feu, de la lame, du ciseau, j'émergerais, neuve, totale. Je rêvais de franchir des seuils définitifs.

(Aujourd'hui je vis autrement, dans le choc et le chant de mes deux langues, et d'une troisième langue des Amériques que j'ai aussi faite mienne. Je vis du passage de l'une à l'autre, et j'aime les gens qui en revendiquent plusieurs : j'aime les exilés, les diasporés, les transfuges linguistiques et les asilés politiques, les sabirants et les patoisants et même les baragouinants, les Indiens qui écrivent en anglais et les Slaves qui écrivent en français, les interprètes, les passeurs, les dissonants et les mépriseurs de frontières, les sans-papiers et les sans-filet, les inventeurs de monde et les métisseurs de formes, tous ceux qui brassent les langues comme on brasse les cartes. Mes enfants parlent mes deux langues sans drame ni effort, et j'ai même, vaguement, l'esprit de famille. Ma mère trouve que je suis une femme bien, même si je n'ai jamais renoncé à *me prendre pour une autre*. Mais pour l'instant je parle de l'implacable soif de pureté de mes vingt ans, de la jeune femme occupée à se donner une seconde (mais pour elle première) et ultime naissance et qui croyait, pour cela, qu'il lui fallait d'abord mourir à ce qu'elle avait été. Elle ne savait pas encore, la pauvre, qu'on peut naître plusieurs fois, refaire sa vie à l'infini, du moment qu'on en a pris le tour.)

Quand ai-je pris conscience que je n'étais pas chez moi, chez moi ? Ni chez *mes* parents, ni dans *ma* ville, ni dans *ma* peau, ni dans *ma* langue ? (Italiques de l'incrédulité : je ne voulais ni ne pouvais posséder toutes ces choses.) Assez tôt en tout cas pour que je n'aie aucun souvenir de l'avant, du moment où je me sentais tissée, lovée quelque part. Peut-être ma haine des enracinés n'était-elle qu'une forme tapageuse d'envie : eux, au moins, étaient chez eux.

Mon premier départ : les livres. Plongée dans *Les hauts de Hurlevent*, *Les frères Karamazov* ou *Les raisins de la colère*, qui me dépassaient totalement mais dont je humais avec délices le parfum d'ailleurs, je n'entendais plus la télé à tue-tête et les hurlements de mes parents. J'en suis venue à pouvoir tenir une conversation qu'ils trouvaient sensée (au fond ils n'étaient pas si exigeants, ce simulacre de présence leur suffisait) sans quitter les landes, la Russie ou la route 66. C'est ainsi que, capable de parler et de lire en même temps, j'ai pu, le moment venu, gagner ma vie comme interprète de conférence, travail qui exige – rien de moins ! – qu'on écoute dans une langue et parle, en même temps, dans une autre.

Mon troisième départ était le bon, le vrai, en chair et en os. J'ai hissé les voiles, levé l'ancre, mis les bouts. Bref, on aura compris, je me suis sauvée, puisque personne d'autre ne pouvait le faire.

Le deuxième, le plus difficile et le plus beau, était, on s'en doute, la langue.

* * *

Pour être une autre il fallait d'abord une autre langue. Repousser ses limites jusqu'à nier en avoir. Je la parlerais parfaitement, jusqu'à faire illusion, jusqu'à *passer*. Passer pour celle que je n'étais pas (et, comble d'imposture, devenir cette autre), passer outre, outrepasser toutes les règles, y compris la loi de la gravité. Ma langue maternelle, c'était la pesanteur. Avec l'autre, rien n'aurait de poids.

La langue connue ? L'ornière, la sécurité d'emploi, la camisole de force. Je n'ai jamais aimé que les débuts, les départs, les cahiers neufs, les ruptures, les sorties de secours, les gares, les sauts dans le vide.

Un jour, à l'école, en sixième année, est arrivée une petite dame toute ronde (écossaise, contre toute attente et vraisemblance, mais qu'y puis-je ?) armée d'une grande image très colorée. *Voici la famille Leduc. Voici monsieur et madame Leduc. Et voici Jacques, Suzette, Henri et Marie-Claire. Et voici Pitou. C'est le chien d'Henri*. Les autres ricanaient, s'ennuyaient ; en somme, ils n'avaient rien à en foutre, de la famille Leduc. Moi, si : quelques mots pourtant dérisoires (*la voiture des Leduc est tombée en panne* ou, un autre jour, *Henri a les oreilles très rouges*) et j'étais mordue. Il y avait d'autres sons, d'autres sens. Si tout pouvait se dire autrement, tout pouvait donc *être* autrement. Je venais de trouver l'occasion qui fait le larron. Ma vraie vie allait pouvoir commencer. Je ne serais pas obligée de croupir, toute ma vie, dans mon lieu et dans ma langue.

Sans douleur, ma peau se fendait pour en révéler une neuve. L'autre langue de ce pays trop grand, trop esseulé, trop petit aussi aux yeux des nations, ce pays d'eau et de bois et de roche (cher racheteur à gros prix de tes matières premières transformées, comme je t'aime !) me faisait signe. J'ai cru, dès le premier instant, qu'elle allait me sauver. (Comme j'allais le croire plus tard, avec bien moins de raison, de chaque nouvel homme qui entrerait dans ma vie.)

Le poids de l'apprentissage, le poids des règles, n'était rien. Les règles me promettaient la liberté, si seulement je les absorbais toutes. Mon apprentissage d'élève modèle, de petite fille docile à sa maman, a repris le dessus et j'ai avalé, avalé.

Ma nouvelle langue était non pas ma mère mais ma fille, ma sœur. Elle naissait pour moi en même temps que je naissais à elle. J'explorais son corps, toute tremblante et ravie, je la suçais comme un bonbon, je la roulais entre mes dents, elle glissait sur ma langue, bienheureuse, avec un goût de pain frais et de pêche, avec joie (elle ne cassera donc pas !), avec crainte (et si elle allait me trahir après tout ?). Elle était la glace (et aussi, du moins au début, l'eau noire qui clapotait dessous) et moi la patineuse qui tombait, se relevait et, un jour, glissait sans effort. Je la faisais mienne (chère Nuria, comme je te comprends !) et il y avait, au moment de parler, une émotion si grande que ma voix tremblait parfois du seul bonheur de m'approcher d'elle. La grammaire s'est mise à nu, les mots se sont multipliés. « La fille de Minos et de Pasiphaé. » « Ah ! comme la neige a neigé ! » C'est ainsi qu'on se fabrique, à coup de mots des autres qu'on fait siens. L'accent n'avait jamais posé de problème tant, privée de toute voix propre, je calquais sans vouloir celle des autres ; en voyage, je prends l'accent du coin comme je mets ma montre à l'heure locale.

* * *

Mon appartement de rêve était tout blanc, tout en fenêtres, avec deux pièces presque vides. Un lit, un canapé, une petite lampe rose. Des murs sans tableau et des étagères vides : blancheur pure, luxe du rien, la paix enfin. Quelques livres dans un coin et une cuisine minimaliste. Quelques ustensiles, des assiettes japonaises, une théière et des tasses. Dernier étage, sans télévision ni téléphone. Dans cet espace de femme comblée, on ne reçoit personne. Surtout, le lit, étroit comme à dessein, est fait pour n'accueillir que la femme comblée elle-même.

On y dort d'un sommeil blanc, alissé. On achète chaque jour exactement assez de nourriture. Pas de restes, presque pas de vaisselle. On refait ses forces, on se fait du thé et du bien, on fait le vide, le bilan, la pluie et le beau temps, on se fait des idées et on y réfléchit, bref on est au-delà de tout ce qui peut se dire comme bien-être dans sa première langue maternelle comme dans sa seconde. C'est dans ce cocon, cet écrin, ce rêve, ce presque cercueil, que j'aimais d'autant plus qu'il se trouvait à deux pas du jardin du Luxembourg et qu'il n'était pas à moi, que j'ai ouvert mes jambes à moi et le lit étroit d'une autre pour y recevoir Philocrate Bé.

Avouez que vous l'attendiez au tournant, mon Philocrate Bé. Une jeune femme toute seule, surtout si elle est un peu jolie et en plus décidée à se perdre, attire tous les Philocrate Bé de la terre. Le sang appelle les requins, les poches les pickpockets, la peau blanche le coup de soleil, et moi, Philocrate Bé.

Et qui était-il, ce Philocrate Bé qui m'avait, si banalement et avec tant de succès, abordée devant le bassin du Luxembourg alors que je mangeais une tartelette à l'abricot et regardais voguer les petits bateaux de couleur, en me croyant dans un film bien plus beau que ma vie ? Un homme de lettres, un professeur et un critique, journaliste à ses heures, fils cadet d'une famille parisienne d'intellectuels pourtant très doués pour l'immobilier. Quand il m'a amenée, peu de temps après, dans le coquet logement de neuf pièces qu'il habitait juste en face, en dessous de celui, de mêmes dimensions, qu'occupait sa mère (le jardin du Luxembourg, pourtant si serein, si endimanché tous les jours, était le terrain de chasse usuel de cet homme exquis mais un brin casanier, amateur de jeunes étrangères qui avaient vaguement perdu pied), j'ai compris, au luxe de masques et de vases et de toiles qui tapissaient chaque surface, que Philocrate Bé mettait autant d'effort à accumuler les objets que j'en mettais à rester les mains vides. Malgré cette incompatibilité foncière (signe avant-coureur de bien d'autres) qui ferait que, écœurée de tant de *choses*, je ne voudrais plus le voir que dans mon cocon blanc, je suis aussitôt tombée amoureuse à mourir de Philocrate Bé, tant il parlait bien, tant il a incarné, dès cet instant et pour toujours, la langue que j'avais élue en sixième année. (Grâce à un mécanisme semblable, je l'ai compris peu à peu, Philocrate Bé ravageait le cœur d'innombrables jeunes francophiles. Le filon était inépuisable et les proies, intelligentes et dociles.)

Pourtant, il s'en est fallu de peu pour que rien ne se produise. Dans une des vieilles glaces, nombreuses et étrangement flatteuses, de Philocrate Bé, je me suis vue, avec une grande clarté, dans l'instant tremblant qui précède la chute, mais où la chute est déjà inscrite, et comme consommée – vêtue de ma robe rouge, mince et pleine d'espoir, offerte, confuse, flattée et pourtant un rien ennuyée, prête à repartir, indemne. Puis il m'a étreinte, et sa bouche goûtait le café, le vin rouge et les cigarettes, l'essence de la vie parisienne quoi, et mes seins jaillis de la robe rouge fleurissaient dans ses mains, et il a murmuré dans mon cou une promesse vide et française qui m'est devenue aussitôt parole d'Évangile, et j'ai coulé à pic. J'ai accepté de couler, ou cru que j'acceptais, à moins que la folie consiste surtout à croire qu'on peut résister – ou à croire, au contraire, qu'on ne peut pas. L'amour, ce fléau, cette grâce. Le désir, et le besoin, et la folle dépendance. On connaît la chanson ; la chanter fait quand même mal.

Le ton détaché est d'aujourd'hui (l'ironie est loin quand c'est votre sang qui coule, là, à flots, sur le canapé Louis XV) ; alors, j'étais perdue dans l'instant, empêtrée dans mes suppliques muettes, suspendue à son jugement. Allait-il trouver que je parlais bien ? Il admirait en tout cas ma jolie bouche. L'histoire de ma petite vie le captiverait-elle ? Il préférait parler de lui. M'aimait-il comme je l'aimais ? Petite idiote, ne rêvons pas en couleurs. Le gène du doute, s'il existe, était absent chez Philocrate Bé. Chaque fois, je le trouvais plus beau, et j'étais si jeune que – pauvre folle – je le lui ai dit. Mine de rien, c'était le début qui finissait avec cette petite phrase, et la fin qui commençait. Mais j'étais ivre de mes aveux et ne voyais rien venir.

Il m'effaçait, moi et mes gaffes, je n'osais plus parler. Je ne lui ai pas dit que j'avais cru qu'« à la dérobée » signifiait « sans vêtements », que j'avais associé le mot « célibataire » à « liberté » et non à « célibat », idée exécrée, que, dans l'expression « à l'instar de », trouvée chez Proust, j'avais vu, à tort, une étoile. Philocrate Bé était né à l'étage au-dessus de celui qu'il habitait maintenant ; homme fait et plus que fait (et plus que parfait à mes pauvres yeux), il n'avait pratiquement jamais quitté Paris sinon pour aller, en compagnie de sa mère et de ses trente-six tailleurs Chanel, faire provision ailleurs d'objets exotiques, il ne parlait qu'une seule langue et n'imaginait pas autrement le bonheur. Pourtant j'attendais de lui le salut et la reconnaissance, j'attendais qu'il me sauve alors que j'avais fait exprès de me perdre. Je voulais (j'en avais déjà honte) prendre place entre les bibelots et les objets d'art et le bric-à-brac aristocratique de Philocrate Bé.

Ne pas avoir le téléphone m'apparaissait maintenant dramatique. Bien que morte à toute raison, je devinais que Philocrate Bé n'était pas du genre à apprécier que les femmes prennent les devants. Parfois, il passait chez moi, tard le soir, et mes nuits se sont transformées en attente de lui, mes jours en attente de la nuit. Puis, pris de pitié, il m'a prévenue que le jour, il était occupé ailleurs, il a eu cette miséricorde, il m'a tendu cette aumône. Chaque matin, je sortais donc, je circulais dans Paris, dans ma robe rouge qui me donnait du courage ou dans ma robe noire qui me rendait invisible, et je me sentais renaître parfois, un instant, et j'ai eu l'intuition confuse qu'un jour, je guérirais, même si je ne le souhaitais surtout pas.

* * *

Un soir, après m'avoir fait l'amour avec voracité et même, m'a-t-il semblé, dans mon besoin fou de lui, un brin de tendresse, Philocrate Bé, passé rapidement de nu et couché à habillé et assis sur le canapé, a prononcé un petit discours soigneusement improvisé dans lequel je n'ai saisi, à travers le bourdonnement de mes oreilles et l'affolement total de mon cœur, que des bribes : trop intense, espacer les rencontres, pour ton bien surtout. Sans trop comprendre je l'ai laissé partir.

Restée seule, j'ai contemplé longuement mon visage dans la glace, comme si c'était celui d'une autre. Philocrate Bé avait aimé mes yeux, mon nez, mon front, mes cils, mes dents, ma tête, alouette, amen. J'ai pensé à sa peau, à sa voix. À cette langue avec laquelle il faisait corps : un drapeau, une main tendue, un jardin clos, une place publique, un chant. J'ai pensé alors que j'avais vingt-deux ans, qu'il y aurait d'autres hommes, d'autres lits, d'autres nuits et d'autres matins chantants ou blafards. D'autres langues aussi, si je le voulais. L'aile d'un avion, une route au soleil, un globe terrestre. S'ouvrait devant moi mon avenir, infini alissé. Et je me suis levée, d'instinct, les mains ouvertes, aveuglée de larmes mais déjà avide dans ma robe rouge, pour y entrer.

Amarcande

Christiane Lahaie

> *« Qu'est-ce qu'elle veut ?*
> *– Vivre. Rien que vivre. Et m'entendre dire le nom.*
> *– Horreur ! Coupez-lui la langue ! »*
>
> Hélène Cixous, *Entre l'écriture.*

Il y a des aveux plus éclatants que la craie des falaises.

Du moins, vous le supposez, cher Philocrate. Vous qui avez navigué aussi loin que le vent a bien voulu vous pousser, jusqu'aux confins de l'horizon, là où les marins imprudents sombrent dans l'abîme. Vous qui ne vous lassez pas de raconter vos aventures, de polir vos récits comme s'il s'agissait de joyaux précieux, quand vous rentrez après des mois d'absence et que je vous accueille dans le calme de notre jardin commun.

Mais il y a aussi des silences plus apaisants que l'écume sur les flancs de la terre. De cela, Philocrate Bé, vous avez la certitude. Car vous ne parlez jamais de ces dômes bleus, de ces labyrinthes étroits dont la poussière consume les yeux. Jamais vous n'évoquez les tapisseries de lumière dont sont tendues ces demeures. Jamais vous n'avez révélé le nom de cette ville que vous avez tant cherchée. Jamais vous n'avez consenti à en définir les contours, vous qui, pourtant, adorez parler. C'est comme si vous aviez séjourné chez les Sélénites et que vous refusiez de trahir leurs secrets.

Alors, je vous ai imité. J'ai marché dans vos traces. Je suis allée là où vos pas vous ont entraîné malgré vous. J'ai cherché votre ombre pour m'étendre et m'assoupir près d'elle. J'ai parcouru des distances incalculables rien que pour voir où vous aviez laissé l'empreinte cuivrée de vos doigts, rien que pour percevoir l'écho de votre voix, niché quelque part parmi les dunes. Et je suis arrivée là où vous vous êtes heurté au réel, à ce que les mots ne parviennent pas à capter, à ce que les phrases, aussi habilement tournées soient-elles, ne peuvent pas contenir. J'ai contemplé, moi aussi, ce paysage indicible, cette forêt de quartz que le soleil attise et par-delà laquelle vous vous êtes enlisé. Je devine que vous avez été aveuglé, cher Philocrate. Sans doute avez-vous tourné un temps vos iris clairs vers tout ce qui pouvait les soulager. Les visages burinés des membres de votre escorte ou l'étoffe roussie de leurs vêtements.

Vous avez pénétré quand même dans la cité sans nom. Le pouvoir que vous avez sur les mots, votre façon de les aligner comme des perles noires sur un mince fil serait votre sauf-conduit. Et vous avez eu raison. Car les habitants d'Amarcande – c'est ainsi que j'ai baptisé ce site tant abhorré par vous – affichent aussi cet amour de la parole, cette vénération du dire, du savamment décrit, de sorte que vous les avez séduits par la narration cent fois recommencée de vos prouesses.

On vous acclamait. On vous offrait des figues mordorées et des amandes douces. On vous faisait boire du thé fumant, à la menthe et à la cardamome. Vous dormiez dans un hamac, suspendu entre deux sycomores, tandis que l'harmattan vous berçait. Vous étiez de tous les festins ; nulle kermesse ne se tenait sans vous. Vous avez été reçu tel un prince dont on n'espérait plus le retour, de sorte que vous aviez presque oublié à quel point la vie reste fragile. Tant que des contes fabuleux ont coulé de vos lèvres – et qu'on y a cru –, vous avez conquis Amarcande.

Or vous n'évoquez jamais ce voyage. On dirait que, dans vos songes, vous avez oblitéré ces géants dont les mains demeuraient blanches malgré le soleil. Que leur regard, si intense que vous aviez du mal à le soutenir, ne vous obsède plus. Que les sourires envoûtants dont ils vous ont gratifié se sont estompés. Vous n'avez pas osé admettre que le timbre profond de leurs voix vous avait hypnotisé. Vous étiez leur esclave et vous ne vous en doutiez même pas. Comment auriez-vous pu ?

Vous n'aviez pas à faire la cour longuement à leurs femmes pour qu'elles se donnent à vous. N'essayez pas de le nier, cher Philocrate. Je sais qu'elles vous recevaient dans des appartements immenses. Elles ne disaient rien, mais vous ne vous en êtes pas étonné. Les vitraux projetaient sur les murs des îlots multicolores et changeants, pendant que vos plaintes flottaient au-dessus du vide.

Pourquoi n'êtes-vous pas resté à Amarcande ? Est-ce parce que vous avez visité ses catacombes ? Que vous en avez contemplé les fresques sanglantes ? Allons, Philocrate, tous les peuples ont leurs épisodes de violence et de cruauté. Vos quolibets ne se comparent en rien à la prolifération des nécropoles. Est-ce parce que vous avez observé les potences d'Amarcande, quand le jour fatigué en étire indûment les mâts et les cordes ? Vous aviez cru que cette forteresse d'ambre rose vous protégerait de moi, je sais. De moi ou de n'importe quel autre chagrin. Ne me contredisez pas, je vous en prie. D'ailleurs, vous ne pourrez plus rien me cacher.

Vous rappelez-vous cette jeune femme un peu fantasque que vous aviez emmenée avec vous, au grand dam de vos usuels complices ? Celle que vous avez dû laisser derrière ? Celle qui avait le cheveu rebelle, des épaules fortes et la démarche nonchalante ? Avouez que vous aurez du mal à l'oublier. Ou peut-être préférez-vous ne pas savoir ce qu'il est advenu d'elle ? La mémoire est une écluse parfois fermée, parfois ouverte. Une digue que des crues soudaines peuvent emporter. Et quand tout se rompt, dans le vacarme des flots déchaînés, des griffes fondent sur votre gorge et l'enserrent. Vous avez mal, mais vous ne voulez surtout pas en convenir.

Quand j'ai enfin rallié ce lieu étrange que sera toujours Amarcande, je n'ai eu droit ni aux tambours ni aux trompettes qui vous ont accueilli. Je dois admettre que je ne possède pas votre verve. Je me repais de silence, quand l'aube tarde encore. Je suis une alouette brisée en deux. Les phrases, je les dompte avec de l'encre noire sur du papier jauni, mais je parle peu. Je suis le fantôme de mon propre fantôme. Je ne sais que murmurer. Et c'est dans l'unique espoir de vous abreuver un jour que mes mots vous traversent parfois. Je suis un courant contraire et souterrain. Un torrent gelé entre vos vastes rives. Au commencement était le Verbe et, pour vous seul, le Verbe est resté. Quant à moi, je suis cette momie étendue entre les parois étanches d'un sarcophage millénaire. Vous avez scellé mes lèvres, sans même vous en apercevoir.

Ces gens ont vite compris que je n'étais pas de votre trempe. Ils se sont donc contentés de me donner quelques victuailles, puis de me confier à une dame ronde et taciturne. C'était une marginale, une exclue, qui s'exprimait tout bas. Avec peine.

« Vous n'auriez pas dû venir. Personne ne vous écoutera ici. Personne. Non, vraiment, vous n'auriez pas dû. »

Je ne la voyais pas beaucoup. Elle se levait dès que le soleil commençait à faire crépiter les toits, et ne rentrait que la nuit, une fois le silence redescendu entre les murs aveugles de la cité. Elle me rappelait ces mirages qui, de loin, trompent les pèlerins avant de les engloutir.

Un soir, alors qu'elle se sentait loquace, elle m'a dit que ses compatriotes abusaient des mots. Qu'ils les semaient n'importe où, n'importe comment, quitte à ne récolter que des fruits insipides.

J'aime croire que vous êtes conscient, vous aussi, que les mots s'épuisent. Qu'à force de les projeter tous azimuts, tels des feux de Bengale, ils s'étiolent et s'évanouissent. Seulement, cher Philocrate, vous n'admettez jamais la défaite. Quand cela se produit, vous ne perdez pas vos moyens. Vous les triturez, ces mots. Les fouillez comme la musaraigne retourne la terre des sous-bois. Vous n'êtes jamais à court de cette manne que vous avez fait pleuvoir sur les dômes ardents d'Amarcande. Jadis, je vous enviais. À présent, je n'ai d'autre choix que de vous plaindre. Car c'est bien de votre érudition qu'il s'agit. Celle que vous avez transmise à cette jeune femme, qu'on a cessé d'écouter ensuite et qui a croupi un temps dans une cellule suffocante, aux limites d'une ville sans nom.

Vous refuserez de me croire. Vous niez toujours la réalité, surtout quand elle vous perturbe. Quand elle provoque en vous des bouleversements singuliers. Quand elle sollicite vos volcans et qu'elle menace de déplacer vos montagnes. Soit. Mais je vous jure que j'ai rencontré cette personne peu après qu'on eut prononcé sa sentence. Elle se faisait appeler Ammonite, n'est-ce pas ? Et elle avait reçu vos enseignements avec une célérité exemplaire. Les mots, dans sa bouche, luisaient comme des pierres de lune. Ils conféraient des reflets laiteux aux êtres et aux choses. Elle n'avait besoin ni de ses bras déliés ni de ses yeux rieurs. Il lui suffisait d'articuler quelques sons pour que les habitants d'Amarcande accourent et s'assemblent à ses pieds.

Vous étiez presque jaloux. L'élève avait dépassé le maître et cela vous vexait. Elle s'était même mis en tête de réciter des poèmes, un jeu auquel vous ne vous êtes jamais abandonné. Il vous arrive de prêter aux mots un sens qu'ils n'ont pas, mais c'est pour mieux vous expliquer ensuite. Une bride serrée sur le cou de la prose protège contre tous les fléaux. Libérer les mots vous fait peur, alors qu'Ammonite a osé franchir cette ultime frontière. En fait, elle s'était montrée si habile, si douée, que l'autarque d'Amarcande, avec lequel vous aviez fraternisé maintes fois, avait fini par s'intéresser à elle. Puis, un matin, trois gardes l'ont enlevée.

Sur le coup, vous ne vous êtes pas interposé. Vous vous sentiez dépassé par les événements, sans compter que vous souhaitiez épargner au reste de votre escorte un sort similaire. Vous avez fait de multiples démarches pour comprendre ce qui se passait. Vous avez visité les mercenaires qui avaient emprisonné Ammonite dans une haute tour. Ils se sont moqués de vous. D'un ton tranchant, vous avez réclamé une audience auprès de l'autarque, ce qu'on vous a accordé. Mais on a refusé de libérer Ammonite qui, disait-on, s'était rendue coupable du crime d'amarcande. « Crime de quoi ? » avez-vous imploré. C'était là un mot qui vous échappait. Un concept fuyant. Un petit lézard qui court se mettre à l'abri tandis que vous lui tenez encore la queue. Un crime qui mérite que l'on donne son nom à une cité maudite.

Quelques jours après, parce que vous insistiez trop, l'autarque vous a chassés, vous et vos hommes, et vous avez dû partir, des outres pleines suspendues à vos flancs.

Ne dites rien, Philocrate. Ne dissimulez pas vos larmes derrière une logorrhée de convenance. On ne pleure pas seulement pour manipuler ceux qu'on aime. On pleure aussi pour se manipuler soi-même. Ammonite l'avait compris. Elle n'avait plus que cela pour humecter le sol aride de son cachot.

Mon récit est triste ; me le pardonnerez-vous ? Vous ne vouliez plus entendre parler de ce lieu torride où, l'espace d'une nuit, le rêve s'est métamorphosé en cauchemar. Je comprends, cher Philocrate. Je n'ai pas cette faculté de broder de jolies intrigues. Et, comme je ne sais par quel détour vous atteindre, je me suis dis que cette histoire-là vous remuerait. Qu'elle secouerait le manteau d'indolence dont vous vous drapez si aisément dès qu'il est question de nous deux. Dès qu'il est question de moi.

Vous ne me demandez pas ce qui est arrivé à Ammonite ? Vous ne voulez pas savoir ce que j'ai appris à propos du crime d'amarcande ? Cette faute, mon ami, vous m'avez permis de la commettre des centaines de fois. Chaque fois que nous nous côtoyons, je m'en rends coupable. Chaque fois que vous vous détournez quand je m'adresse à vous, je me damne un peu plus. J'ai beau vous dire que votre main, c'est ma barrière de corail. Mon rempart contre le monde entier. Je ne sais que perpétrer le même crime. Encore et encore. Quant à Ammonite, elle n'aurait jamais cru qu'on la condamnerait pour cela. Elle y était si habituée.

Parce qu'il me semble que c'est ce que vous auriez fait si vous n'aviez pas été banni d'Amarcande, j'ai quémandé le droit de visiter Ammonite. De la réconforter avant que sa sentence ne soit exécutée. Ce que j'ai fait pendant des semaines. Elle était amaigrie et faible, mais elle discourait plus que jamais. Je lui suggérais de se taire, car elle se déshydratait rapidement ; l'eau que je lui apportais dans une petite urne d'étain ne suffisait pas. Mais c'était inutile.

Elle énumérait les constellations qu'elle connaissait grâce à vous. Orion, Cassiopée, la Croix du Sud. Elle prononçait lentement le nom des étoiles. Antarès, Io, Europe, Callisto, Sirius. Comme s'il s'était agi d'incantations capables de la délivrer. Elle parlait des quasars, des Léonides, de Ganymède, de Phobos ou de la profondeur vertigineuse des trous noirs. Elle évoquait les odeurs de poivre, de citronnelle et de sueur dont sa tunique était imprégnée. Elle tentait de décrire la couleur des murs, hésitant entre l'ocre et la terre de Sienne. Elle se désolait de ce que les mots lui faisaient défaut. De ce que le temps fuyait, et de ce que, bientôt, il n'y aurait que le silence. Ammonite ne savait pas écrire. Alors, j'ai voulu lui apprendre. Il fallait faire vite. Pour que les mots restent près d'elle, au cas où elle survivrait. Pour qu'ils continuent de la porter, comme le vent charrie la semence et les orages. Quand on m'a interdit l'accès à sa cellule, j'ai compris qu'il ne valait plus la peine de se battre. Que le bourreau avait accompli sa tâche et qu'on avait enseveli Ammonite dans le ventre sablonneux du désert. À présent, je n'ai plus rien à faire ici, loin de vous, dans cette ville où nous ne saurions exister.

Quand je serai de retour, cher Philocrate, je garderai pour moi les reproches. Vous avez en vous tant de souvenirs indomptés. J'espère aussi que je ne vous aurai pas trop manqué. Si j'ai voulu visiter ce pays, c'est que j'avais cru voir tout ce que dans vos yeux il avait éteint.

Cher Philocrate, vous aurez compris que, par cette lettre, je voulais m'assurer qu'il ne soit plus jamais question d'amarcande entre vous et moi. C'est une précaution qui s'impose, car je n'ai pas encore quitté cette ville anonyme où Ammonite a eu la langue arrachée.

Je vous aime, Philocrate. Je vous aime.

Voilà. Il fallait que je trompe votre vigilance. Vous avez du mal à écouter, mais vous adorez lire. Ainsi, je serai sauve. Et j'espère que je n'aurai pas contribué à vous faire condamner.

La page sombre de la carrière de Philocrate Bé[1]

Vincent Engel

Monsieur le ministre de la culture, monsieur le recteur, mesdames et messieurs les ambassadeurs, monsieur le préfet, madame la sous-préfète, monsieur le maire, mesdames et messieurs les professeurs, mesdames, mesdemoiselles, messieurs, chers amis, c'est non sans une certaine émotion que je m'apprête à porter à la connaissance de cette éminente assemblée, réunie dans ce lieu hautement symbolique de la halle des draps de bain, les fruits de mes travaux sur un des personnages les plus énigmatiques de notre pays et qui plus est de notre ville : Philocrate Bé. De très nombreux et très éminents spécialistes se sont déjà penchés sur cette figure hors du commun, et la masse de travaux critiques à dépouiller ne fut pas l'aspect le plus aisé de ma tâche. Mais ce ne fut pas le plus ardu néanmoins. Car Philocrate Bé est pour le moins un

1. Conférence prononcée dans le cadre du colloque international de Genève sur la figure de Philocrate Bé, en septembre 2000. L'auteur de l'article et les organisateurs du colloque ont accepté que cette intervention soit reproduite dans le présent volume, avant l'édition, toujours hasardeuse et retardée, des Actes dudit colloque, ce pour quoi l'éditeur les remercie chaleureusement. *(N.D.É.)*

personnage complexe, étroitement imbriqué dans l'Histoire et dans des centaines d'histoires, plus ou moins farfelues ou tragiques.

Si l'on souhaite poser la discussion sur des éléments d'une relative stabilité, force est de constater d'emblée que l'on sera frustré. En effet, tout est sujet à caution dans la biographie de Bé, à commencer par son nom et son lieu de naissance[2]. C'est une question que nous devons toutefois poser : notre ville revendique l'honneur d'avoir vu les premiers pas de notre homme, or ceci est contesté par près de dix autres cités, réparties dans le monde entier[3]. Il en va de même pour sa date de naissance ; en écartant les hypothèses les plus farfelues, on se retrouve avec une fourchette allant de 1876 à 1912. Et ne parlons pas des polémiques sur l'heure et le lieu de sa mort, le fait même étant sujet à des discussions sans fin, le corps n'ayant jamais été formellement identifié – à telle enseigne qu'il pourrait se produire avec lui un phénomène comparable à celui de la multiplication des reliques, portant à plusieurs dizaines le nombre de Croix du Sauveur.

Je n'apporterai donc pas mon grain de sel à cette controverse, dont on peut raisonnablement douter de la proche conclusion. Non ; ce qui m'a intrigué davantage, dans la vie de

2. Je renvoie pour cet aspect des choses au travail de G. PELLERIN, dont on trouvera un aperçu en postface du présent ouvrage.
3. En effet, parmi les prétendants les plus acharnés, on retrouve New York, Shanghai, Cotonou, Sydney, Luxembourg, Oslo, Vladivostok, Vancouver (qui pâlit au nom de Philocrate Bé), Madrid, Rome ainsi qu'une ville québécoise dont des considérations juridiques exposées en postface commandent de taire le nom. Notons encore que Londres s'est retiré de la liste des candidats, et qu'un petit village de Wallonie (Belgique), Ohain, se dépense sans compter pour faire valoir le droit d'être reconnu comme le lieu de naissance de Bé.

Philocrate Bé, ce sont d'autres zones d'ombre que mes collègues, poussés par je ne sais quelle pudeur ou quelle gêne, ont choisi de laisser de côté, les reléguant plus encore dans l'obscurité par cette querelle, assez stérile au demeurant, sur les éléments qui, dans une biographie, me semblent, somme toute, les plus insignifiants. Qu'importe, en effet, de savoir précisément où et quand est né et décédé untel si l'on ne sait pas ce qu'il a fait entre ces deux pôles ? Certes, on me rétorquera que l'essentiel de la vie de Philocrate Bé est connu ; je riposterai en disant que justement non, on ne connaît pas l'essentiel.

Je partirai d'un premier élément que les chercheurs n'ont que trop rarement relevé[4] : le nom de notre illustre personnage. Je pense qu'il faut considérer avec le plus grand sérieux l'hypothèse du pseudonyme. De nombreux spécialistes s'y refusent, car cela compliquerait encore leur tâche en démultipliant les pistes de recherche. Mais je compte pour acquis que Bé s'est caché sous divers noms, que ce soit ceux de personnes ayant par ailleurs existé ou des noms d'invention : Cornélius Farouk[5], Asmodée Edern, Adrian Salvat, Moïse Bubstein, Thomas Reguer, Séraphin Lampion, Marcel Tassdeté... Je me contenterai de vous livrer cette liste incomplète. On le voit, il y a de quoi décourager les chercheurs les plus enthousiastes. Car si l'on parvient un jour, au prix d'un infini labeur, à établir l'inventaire exhaustif des identités qu'a endossées Philocrate Bé, demeurera sans doute pour l'éternité l'énigme de son véritable patronyme. Vous me permettrez donc, j'en suis sûr, de laisser

4. Seules deux études confidentielles posent la question, sans y apporter de réponse : R. Bourneuf, « Comment se nomment les gens connus ? », dans *La revue d'iconoclastie comparée*, n°23, Brest, 1987 ; B. Morgan, « Il s'appelait Stewball », dans *Exégèses, commentaires et analyses*, n°3422, Charleroi, 1993.
5. Voir à ce propos les travaux de M. Lambert, A. Absire et autres.

ces mystères pharaoniques de côté pour poser une question qu'à ma connaissance nul n'a posée avant moi : pourquoi est-il connu sous *ce* pseudonyme précisément, et pas, par exemple, celui de Cornélius Farouk ? Voilà un point que l'on peut se hasarder à résoudre rapidement : parce qu'il l'a voulu ainsi. C'est donc que ce pseudonyme était, dans sa panoplie, celui qui lui correspondait le mieux. Dès lors, le pseudonyme étant un nom porteur de sens – à la différence de notre patronyme qui est avant tout porteur de tradition –, il convient de s'interroger sur sa signification. Philocrate : littéralement, « qui aime la force, la puissance ». Quant au nom, Bé, on pourrait y voir la modestie de celui qui ne veut pas se mettre en tête du monde, du temps et de l'alphabet ; mais aussi, ce qui serait plus dans la logique du prénom, celui qui reste béat d'admiration devant cette puissance adorée. C'est cette réflexion qui m'a amené à retrouver la trace de Philocrate dans une page de l'Histoire où ses adeptes auraient préféré ne jamais le voir : je veux parler de la sinistre ère du nazisme hitlérien.

On sait qu'un des domaines de compétence les plus remarquables de Bé était la linguistique, et plus particulièrement cette redoutable capacité à inventer des mots, néologismes ou mots-valises qui, en un tour de syllabes, signifiaient plus que trente pages de discours[6]. Bé apportait à la langue ce qu'une belle équation offre aux mathématiques. Ainsi, dans un des rares textes que l'on peut lui attribuer – et bien qu'il ait été usurpé par un jeune auteur belge –, utilise-t-il un titre qui résume à lui seul le drame qui frappe les jeunes écrivains : « Paranauteur ». J'ai mis la main sur un recueil de poèmes, fort mauvais au demeurant, qu'il a rédigés dans son adolescence, et dont le titre

6. Je n'insisterai pas outre mesure sur cet aspect des choses, largement étudié par les éminents collègues qui participent à ce colloque.

jonglait déjà sur les mots et les langues : *Just ice-cream*, qu'il faut bien sûr entendre à la française : « justice-crime », Bé se posant ainsi en dénonciateur d'une justice étatique aveugle, glacée (d'où le titre anglais) et proprement injuste.

Cette faculté, qui s'exerçait en outre dans plusieurs langues dont l'anglais, l'allemand et l'italien, lui valut une grande renommée dans les années d'avant-guerre. Proche des surréalistes français, il aurait donné à Queneau l'essentiel de son *Chiendent*, et à Prévert les premiers de ses poèmes. Tout ceci serait encore anecdotique et sympathique. Mais ce don attira l'attention du nouveau maître d'un Reich supposément millénaire.

Les pathologies mentales dont était atteint Adolf Hitler, sur lesquelles on a glosé, on glose et on glosera encore durant des décennies, recouvraient la quasi-totalité du champ de l'esprit humain. On sait que le Führer, qui n'était encore qu'un obscur caporal allemand, fut atteint de cécité hystérique et soigné par un médecin et écrivain juif, Ernst Weiss[7]. On sait moins qu'Hitler entretenait avec le langage un rapport d'une extrême complexité, qui pourrait être partiellement à l'origine de sa haine du judaïsme, lequel, on le sait, voue au mot une adoration sacrée. Pour résumer les choses, je dirai qu'Hitler était en quête d'une langue qui serait à la fois d'une extrême précision réaliste et qui, en même temps, éviterait de dire certains faits trop précisément. Ceci devint tout à fait patent lorsqu'il décida de mettre en œuvre l'aspect le plus sinistre et le plus effroyable de sa politique : l'extermination du peuple juif. Si, dans certains discours, il en appelait expressément à l'extermination des représentants de cette race jugée inférieure, il modifia radicalement son attitude lorsqu'il s'agit de développer les modalités

7. Voir le récit que l'auteur en a tiré, *Le témoin oculaire*, Gallimard.

techniques et administratives de ce projet macabre. C'est alors qu'il eut l'idée de faire venir Philocrate Bé.

Il semble établi que Philocrate Bé ne vint pas spontanément. Fut-il l'objet d'un chantage – il était très lié au peuple juif, à tel point que l'on peut se demander s'il n'était pas lui-même de confession israélite – et voulut-il, en acceptant l'invitation, sauver quelques proches ? C'est probable. Toujours est-il qu'il fut, durant quelques mois, de décembre 1941 à novembre 1942, l'hôte de la résidence du dictateur, chargé de proposer aux responsables de la « solution finale » les termes les plus neutres et les plus efficaces pour nommer l'innommable – les raisons pour lesquelles les nazis trouvaient cette réalité innommable diffèrent bien entendu totalement des nôtres. Durant cette période, Philocrate Bé collabora, de gré ou de force, à la politique nazie d'extermination. On peut raisonnablement penser que, malgré son attachement au judaïsme et comme le trahit son pseudonyme, il a dû ressentir une certaine fascination, voire une fascination certaine envers Adolf Hitler dont le charisme et la réussite ne pouvaient laisser indifférent quelqu'un d'aussi sensible aux images de la force. Les documents, rarissimes, dont je dispose pour étayer ce que j'avance attestent que Philocrate Bé fut bien reçu et traité comme un invité de marque. Il disposa d'un appartement privé et d'un domestique personnel. Il dîna à plusieurs reprises avec le Führer et les principaux dignitaires nazis et ne manifesta à aucun moment la moindre réprobation. On peut arguer que, dans la gueule du loup, il eût été suicidaire d'agir autrement ; mais, outre que certains préférèrent mourir plutôt que de collaborer, on peut estimer qu'une prise de distance, de la part de Bé, aurait été la moindre des choses pour signifier son refus d'adhérer à une idéologie aussi abominable. Faut-il y voir l'hypnose dans laquelle se trouvent plongées les victimes des grands reptiles ?

Toujours est-il que Philocrate Bé remplit parfaitement la mission dont il avait été chargé. Outre l'appellation même du processus – la « solution finale » –, il développa un réseau métaphorique par lequel les victimes achevèrent d'être déshumanisées, le crime d'être banalisé : on ne tua plus des êtres humains, fussent-ils jugés inférieurs, mais on « traita » des « pièces » (« *stücken* »). On pourrait multiplier les exemples ; je me contenterai de renvoyer aux multiples et excellents travaux qui analysent les euphémismes et les métaphores nazies pour masquer l'horreur des crimes perpétrés à l'encontre des juifs, tziganes et autres minorités décrétées indignes de vivre.

Je n'ai trouvé aucun document de la main de Philocrate Bé permettant de se faire une idée plus précise de son état d'esprit durant cette période. Nulle trace de repentir par la suite, ni même d'analyse. En l'occurrence, le grand homme sut refouler complètement l'épisode, ce qui, en soi, en dit long quand on sait le soin qu'il mit à répertorier les faits les plus marquants de ses multiples carrières. Une seule lettre a échappé à cette amnésie organisée ; il s'agit de la réponse que Bé a adressée à un officier SS, réfugié après la guerre en Argentine, avec la complicité des services secrets américains. Ce document inestimable m'a été transmis par la fondation Simon Wiesenthal, que je tiens à remercier ici chaleureusement. Je n'ai pu retrouver, cependant, la lettre que Hermann von Gluck avait envoyée à Bé – ce qui est révélateur, puisque Philocrate Bé a par ailleurs non seulement conservé mais également classé la totalité du courrier reçu tout au long de sa vie[8]. Chose étonnante : cette réponse est rédigée en français, ce qui laisse supposer que son destinataire

8. On peut consulter l'énorme masse de ces archives, léguées par Bé en 1998, à la Grande Bibliothèque de France – pour autant que les ordinateurs ne soient pas en panne ni le personnel en grève.

était cultivé[9]. Permettez-moi de vous citer cette archive *in extenso*, pendant que je demanderai au technicien de vous en projeter une reproduction sur diapositive.

Cher Hermann,

Non, je ne vous ai pas oublié. Je garde un bon souvenir de nos discussions littéraires. Pussions-nous n'avoir eu d'autres préoccupations...

Malheureusement, et quoique vous m'en pressiez, je ne puis rien pour votre secours. Que vous ayez trouvé refuge en Argentine ne vous suffit-il pas ? Mon seul pouvoir – si tant est que c'en soit un – porte sur les mots.

Je vous en offrirai un, cependant, qui décrit assez bien votre situation ; je pense que l'on peut dire de vous que vous êtes un « réssescapé », un r-SS-capé, pour ne pas dire un r-SS-kapo.

Bien à vous,

Philocrate Bé

Cette lettre mystérieuse est l'unique qu'a conservée von Gluck. Lorsque la fondation Wiesenthal me l'a transmise, von Gluck était mort depuis longtemps, sans descendance. L'ancien nazi a-t-il essayé de relancer Bé ou a-t-il été blessé par ce trait d'esprit et de langue ? En faisant cette réponse, Bé prenait-il enfin ses distances avec ses anciens geôliers ? Quoi qu'il en soit, la prison, on l'a vu, avait été douce et la distanciation fut, pour le moins, tardive et sans risque.

---

9. Ce que confirme la fondation Wiesenthal : Hermann von Gluck, décédé d'un cancer du côlon en 1967, était un fils de grande famille de diplomates et avait fait une partie de ses études en France, où son père avait été en poste. Ceci atteste également qu'en fait d'horreur, la culture n'est pas une protection.

Faut-il voir dans cette lettre un jeu de mots douteux ou une véritable dénonciation ? Il est étonnant que Bé l'ait envoyée, quand on découvre le soin qu'il a mis à effacer l'événement de sa biographie. On rétorquera que les chances de retrouver cette lettre étaient infimes. Mais elles n'en existaient pas moins, et Bé ne pouvait l'ignorer. C'est ce qui me pousse à considérer cette missive non pas tant comme une réponse à von Gluck, mais bien comme une confession, voire un testament que Philocrate adresse à la postérité, comme un naufragé de la conscience confie la bouteille d'un impossible aveu à l'océan d'une rédemption improbable, mais néanmoins ardemment souhaitée.

Qu'il n'y ait pas de malentendu : je n'accuse pas Philocrate Bé d'avoir été nazi, et certainement pas antisémite. Il fut, d'une certaine manière, dans la position ô combien inconfortable des présidents de conseils juifs qui, dans les ghettos, durent rechercher l'impossible compromis entre la collaboration avec les autorités sans laquelle toute la communauté dont ils avaient la responsabilité aurait été conduite à une mort immédiate, et le minimum de dignité sans lequel la survie devient insupportable. Je me garderai bien de le juger ; qui n'a pas son heure de faiblesse, voire de lâcheté ? Certes, mes travaux, pour autant qu'ils soient reçus et acceptés par une époque peu désireuse de remettre en question l'image glorieuse de Philocrate Bé, écorneront la statue du grand homme. Mais, j'en suis convaincu, ils contribueront à le rendre sinon plus puissant, du moins plus humain – privilégiant le philanthrope au philocrate.

Je vous remercie de votre attention.

Les langues vivantes

conférence
du
professeur Philocrate Bé
Department of Language Studies
University of Anchorage

Dans la série des Grands Explorateurs

Mesdames, messieurs,

Tout n'est pas dit. Loin de là. Il y a toujours quelque chose à dire, même quand on n'en peut plus. *Peut plus de soi-même, peut plus des autres... Peut plus de la vie. Cette chose étrange entre les gens. Entre le monde et nous, entre soi et soi. Entre vous et moi...*[1] On n'a plus de mots. Plus rien, à quoi ils renvoient. La langue est épuisée, le réel à bout. Le temps nous est compté, l'espace mesuré : on n'a plus d'histoires à raconter, plus de lieux à explorer. Autant le dire tout de suite,

1. L'italique désigne les passages qui n'apparaissent pas dans le manuscrit de la communication du professeur Bé mais que nous avons pu reconstituer grâce aux enregistrements réalisés par plusieurs auditeurs lors de la conférence publique. *(N.D.É.)*

mesdames et messieurs, l'être est fini. La terre aussi : *finis terræ. Finita terra. Terminus*... Tout le monde débarque : on est arrivé. La terre est faite, la vie complète, archicomplète. L'univers fini... *Comme on dit « sous-sol fini ». Tapis mur à mur. Quatre horizons de contreplaqué. Double plafond insonorisé. Tout le « réel » aménagé, pour le confort de notre esprit. De notre âme aussi. De notre corps béat... Chacun à sa place entre quatre cloisons d'aggloméré... dans les lotissements numérotés de l'espace-temps privatisé. Le ciel et la terre dans le même duplex. Tassés. Pressés, et comme empilés...* L'univers arrive en ville... En HLM et en condos. En blocs, tours, barres. Cerné et quadrillé. L'air cadastré, bientôt rationné. Puis il s'étend de tout son long en pavillons et en bungalows, avec garage et cabanon. Qui poussent comme des champignons. Que l'homme et la femme habitent, ou parasitent. Chacun sa case, son nid, sa niche. Chaque mot a son entrée dans le dictionnaire, chaque personne aura la sienne dans la petite histoire : son lopin de terre, son petit logis, acheté à crédit, loué à l'année ou bien sous-loué, squatté... *Son domicile fixe comme un nom propre sur un visage sans âge. On y entre à vingt ans et ne le quitte qu'à la fin de sa vie. Pour un minuscule studio dans un funérarium, un bachelor de poche dans un crématorium, une simple alcôve dans un columbarium, quoi d'autre : une alvéole dans ces pigeonniers de marbre rose où va finir l'humanité... réduite à peu : en cendres... cette part congrue à quoi l'homme ressemble de plus en plus, n'habitant que des maisons de repos... de tout repos... de repos complet... j'ai nommé le monde comme on le connaît, mesdames et messieurs, notre pauvre petit monde en préfini où l'on s'endort devant la télé et une bière tiède qu'on n'a pas eu le temps d'achever... quand tout s'achève, pourtant, la langue qu'on parle et la vie qu'on prend pour la réalité, alors qu'elle n'est qu'une mini-série dont le dernier épisode s'est terminé sans nous, le sommeil nous ayant emportés comme rien au monde ne nous emportera... Mais là, c'est moi qui m'emporte, moi qui m'emballe. Je devrais garder mon calme. Ne pas perdre tous mes moyens. Et ce qu'il me reste d'autorité pour vous convaincre de ne plus tenir le monde pour acquis ni votre vie pour argent comptant... C'est un chèque en blanc, la vie. Signé par un faussaire. Ou un mauvais payeur, que tout accule à la faillite. Un chèque qu'on tire sur un compte sans provision,* dans le rouge *depuis des années. La vie, ça se paye... pourtant. Même les vies* cheap, *les bon marché. Il faut du liquide. Ou bien cracher : payer en nature, avec sa chair, son sang.*

Bref, vous l'aurez compris, je ne vous ferai pas de dessins : le monde touche à sa fin, la vie humaine arrive à terme. On peut même dire, mesdames et messieurs, que vous tombez bien : c'est son *deadline*, aujourd'hui même, au monde que l'on connaît... qu'on connaît trop, qu'on ne peut plus voir, même en peinture, même en photo... C'est sa date de tombée et elle tombe drue. Un point de chute, dont on ne se relèvera plus... Que reste-t-il ? maintenant que le Réel est fait, fini... et pour la vie. Reste la parole, mesdames et messieurs... Celle que je prends devant vous... pour ne plus la lâcher. De peur qu'elle me lâche, elle, et me laisse sans mot... Comme tout le reste nous a lâchés, et moi le premier. Ah oui, je me présente... Ai-je besoin de présentations ? Philocrate Bé, archéologue des langues mourantes... Je n'ai pas dit mortes... Non. Mais moribondes : les langues blessées et qui se meurent... Les langues malades qui agonisent. Les langues au bord de l'évanouissement. Prises de malaises. Chroniques. Prises du cœur ou des poumons. Du Parkinson ou de l'Alzheimer... Les langues qui ne feront pas long feu. Dont l'espérance de vie ne dépasse pas celle des moucherons : un bref été si le temps est doux et puis *adieu*.

Oui, vous avez tout compris – *vous saisissez du premier coup, ça se voit dans votre regard... sinon pourquoi me fixeriez-vous avec ces yeux de lynx ou de hiboux ? !* –, je m'occupe des langues mortelles parmi les mortelles. Non celles qui tuent, il n'y en a plus, mais celles qui approchent de leur fin à une telle vitesse qu'elles ont un pied dans la tombe dès leur naissance, une bonne moitié de leur vocabulaire et presque les trois quarts de leur grammaire tombés en désuétude, dans un silence généralisé, qui pèse sur tout ce qui survit encore à ce qui nous semble bel et bien mort, dans des deuils sans fin qui nous frappent de front et nous frappent fort... *les crises aiguës de mélancolie quand on se souvient des mots précieux de son enfance, ces mots si doux dont sa jeunesse n'aura gardé que la dureté, l'extrême violence, et sa vieillesse, mesdames et messieurs, cette si terrible sénilité qui nous frappe dès le plus jeune âge, il faut bien l'avouer, ne garde jamais que l'oubli profond où ils sont tombés, l'oubli profond comme un mauvais souvenir qu'on ne peut effacer, à moins de le creuser encore, de faire de l'oubli même la tombe de tout oubli...*

Mais je m'égare... Je m'étais bien dit, pourtant, qu'il ne fallait pas improviser... Mais m'en tenir à ça : mon texte écrit. Noir sur blanc. Dans sa langue mourante... Cette langue qui précède de quelques siècles les langues mortes qu'étudient mes chers collègues philologues, et autres amateurs d'étymologies. D'*étymomanies*, je dirais, moi, mais ne leur répéterais pas... Les langues mortes ne m'intéressent guère : je ne suis pas un nécrophile. Je n'ai pas de goût pour les vieux os et les vieilles peaux : le grec ou le latin, l'araméen, le sumérien, le hittite ou le sanskrit, ou cette stupide invention de nos « amis » Ariens qui l'ont pompeusement appelée indo-européen... Pourquoi pas javano-polynésien, tant qu'à y être ? Jean-Sébastien, Antoine-Auguste, Marie-Chantal ! Non, je n'ai pas cette perversion. Ce fétichisme. Pour les Ancêtres ou les Anciens. Cette Gérophilie. Bien plus dangereuse que la passion pédophile que certains cultivent pour les langues naissantes... *les toutes jeunes langues, à peine nubiles ou pré-pubères, qui n'ont pas encore goûté le monde, léché le réel dans tous les sens, embrassé toute la réalité, touché de près chaque chose qu'elles appellent par leur petit nom, tout frais sorti de leur bouche en cœur, de cette chair fraîche des bilabiales et des labiodentales avant que les occlusives et les palatales ne les bloquent, os dur en travers de la mâchoire, et les gutturales ne ravalent chaque son dans le fond de la gorge, comme on refoule un désir coupable... Ce beau désir d'étreindre l'être, dans un mot doux, un mot d'amour, de perdre enfin sa virginité entre les bras d'une vraie réalité, aussi vieille que le monde, chaque mot qui passe entre les lèvres dépucelé promptement par la chose qui le prend pour nom, l'épouse de si près qu'il ne s'en séparera plus de toute la vie et peut-être au delà, pour le meilleur et pour le pire...*

Bon, voilà que je m'égare encore... Qu'est-ce que je disais ? Ah oui... Les langues anciennes me laissent indifférent. Qu'elles se perdent donc dans la nuit des temps ! Je ne m'intéresse qu'aux langues qui viennent de voir le jour... et découvrent tout de suite l'immense nuit noire qui leur arrive, la vie nocturne qui les attend, dès qu'elles sortent dans le monde réel, quittent la lumière où elles paraissent, venues au monde un beau matin couvertes d'or et de rosée, pour se traîner dans le Réel, à genoux dans la poussière, les mains dans la boue, le ventre sale d'avoir rampé pendant des heures à même le sol de notre triste humanité, dans le but d'atteindre l'Aurore aux doigts de rose, comme dit Homère – et tant de poètes qui n'ont encore rien vu, l'Histoire n'étant pas faite, pas encore finie –, quand elles ne touchent que les doigts courts et gourds, tachés de sang, de notre monde vieilli, prématurément flétri, et défraîchi, qui ne vit plus que la nuit... *Une vie de noctambule, de nyctalope, de loup-garou... une vie interlope... qui fait des langues de belles salopes : elle les maquereaute, elle les prostitue, les couche au milieu de la rue avec quiconque et n'importe quoi, chaque mot étendu sur la chose qui n'en veut plus qu'à sa chair nue et laisse son âme se perdre en l'air, changeant de nom comme on change de chemise ou change de peau – et change de sexe aussi, changeant le genre des noms –, et se passant les mots de bouche à oreille, de bouche à bouche, d'une langue à l'autre comme de mains en mains et de sexes en sexes, dans une orgie verbale dont aucun son ni aucune syllabe ne sortira intact... Ça, je peux vous le jurer, mesdames et messieurs. Je peux mettre ma main au feu pour vous le prouver : elle brûlera moins vite que la vie de ces langues qui se consume par les deux bouts...*

Bon. Voyez qu'on n'a pas tout dit. Qu'il y a encore plein de choses à dire, même si on n'a plus de mots ou qu'on en a trop pour en parler... Dans une langue *vivante*. Bien vivante. Comme on dit « bon vivant ». Une langue *viveuse*, même, comme on parle de « vrais viveurs », qui brûlent la vie par les deux bouts... *Le bout du monde, le bout des mots... que l'on raboute du mieux qu'on peut. Voilà, moi, je suis le rabouteur des langues qui ont perdu leur monde, des mondes qui ont perdu leur langue : je redonne la parole aux choses et la vie aux mots...* Le métier que je fais est dangereux, comme vous allez le constater, car les langues à l'agonie peuvent être féroces : elles se retournent contre vous, même quand votre unique souci est de les sauver. Un mot qui reste sur le bout de la langue, par exemple, *sur le bout de la langue de la moitié de l'humanité*, quand rien au monde ne pourrait un jour nous le rappeler, même partiellement... eh bien, moi, je vais le chercher, et pas avec des pincettes : je prends les grands moyens, j'achète un de ces harpons qu'on utilise pour la chasse aux bélugas ou aux requins, et je le plonge dans la bouche bée, dans la bouche d'ombre, entre les lèvres muettes qui se mettent à crier, et toute la gorge, derrière, à hurler de douleur et de colère, crachant le mot manquant qui se cachait dans les bruits de fond, dans l'arrière-fond bruyant de la fureur, de la clameur sans fin, qui continue après, bien au delà de l'opération, surtout quand le mot retrouvé vous saute aux yeux, vous prend à la gorge, vous perce les tympans et ne vous laisse jamais en paix, mordant dans votre mémoire, dont il arrache des lambeaux, aussi fort que l'hameçon géant s'est enfoncé profond dans le corps de la langue dont les souffrances durent des années, pendant lesquelles elle se venge avec férocité, s'agrippant à votre voix comme une main de femme aux ongles longs prend possession de votre âme en tirant dessus dans tous les sens, dans le *mauvais sens* surtout, le contresens de votre vie, le non-sens de votre existence, le sens propre ou figuré d'une histoire dont aucun dictionnaire n'a recensé les mots qui servent à la raconter.

On ne sait plus trop où on en est : a-t-on ramené le mot à la vie ? a-t-on donné sa vie au mot ? Tout ce qu'on sait – et le sait-on vraiment ? –, c'est que le mot que l'on cherchait n'est plus *sur le bout de la langue* mais dans le cœur du monde : une sorte de pouls ou de pulsation, certains disent *pulsion*, qu'on n'oubliera jamais, pas plus qu'on n'oublierait une peine d'amour qui se transforme en un coup de foudre, car c'est l'absence, soudain, du mot perdu ou de l'être aimé, perdu aussi, qui est aimée par-dessus tout, d'un amour fou qui reste inoubliable non parce qu'il est amour mais parce qu'il est *fou*, fou de rage et de désir dans la même folie, qui frappe les logomanes, les logophiles, les logopathes de mon espèce, de la vôtre aussi, si vous êtes venus aujourd'hui même m'entendre vous raconter tous les mystères de la *passion des langues*... et des multiples perversions qui s'y relient.

Vous vous direz : cet homme ne sait pas ce qu'il dit. Il parle par métaphores. Il parle par signes. Vous pourriez dire : en paraboles. Vous n'auriez pas tort. Je n'ai pas de théories du langage, pas de thèses ni d'hypothèses, mais des *images*, des images par milliers... que je vais vous montrer... Vous faire *visionner*. C'est le seul mot qui fasse vraiment à cette chose-là, qui lui aille comme un gant et qui convienne à toutes ces vues que je m'apprête à vous en donner. En plan rapproché. En plan moyen ou américain. En *close-up* ou en grand angle. En plongée et en contre-plongée. En *zoom in* et en *travelling*. Ces vues animées d'une langue qui a pour propriété de rester invisible à l'œil nu : il faut une drôle de caméra pour s'en faire une image ou la moindre idée. Une caméra comme une tête d'homme. *Una testa oscura*, dirait Vinci. Ou Fellini. Une cervelle sombre, un esprit noir. Une mémoire aussi, plongée dans l'oubli. Un entendement spécial, qui n'a pas peur des obscurités, des abstrusités, des absconsités et autres noircitudes, aussi incompréhensibles que des mots forgés sans aucun respect de l'étymologie, et de l'intelligence moyenne des gens qui ne savent pas encore qu'il faut être idiot pour bien comprendre le génie des langues, dont le jeune enfant en train d'apprendre le mot maman saisit l'essence, lui, bien mieux que le plus grand des grammairiens, même s'il professe depuis longtemps au M.I.T... J'ai dû l'inventer, cette machine-là, pour faire mes films et vous les montrer : le capteur d'images mentales qui peut mettre en boîte l'ombre des vocables sur la surface du monde. Toutes les figures qui s'y dessinent, et font un sens plus sûr que ceux qu'on trouve dans les dictionnaires, où l'on ne *voit* rien que des abstractions. On tourne des métaphores, aussi. Pas seulement des films ou des vidéos. En super-8 et en technicolor. On dit alors que telle métaphore est bien *tournée*, telle autre mal. À moins que *tournée*, dans ce cas-ci, ce soit encore une métaphore : *tournée* comme une actrice, aux formes avantageuses. Bon, revenons à nos moutons...

Le film que vous allez voir a été réalisé il y a plusieurs années, à l'époque où mon équipe et moi étions partis à la recherche du mot *et*. Oui, je vous vois venir : vous vous demandez comment on peut se mettre à la recherche d'un mot, caméra à l'épaule, micro au poing, et qui plus est d'un mot que tout le monde connaît, d'un mot qui n'a pas de sens, pas de référence dans le monde ni quoi que ce soit du genre qui puisse se voir ou se montrer et faire ainsi l'objet d'une « découverte »... non pas seulement d'une invention, le fruit plus ou moins pourri d'une trop fertile imagination, plutôt malsaine, d'une pure fiction, d'un conte de fées, d'un conte de fous... ? Je vous répondrai. Le monde ne s'est pas fait tout seul, en un seul temps, un seul mouvement. Il a fallu l'aider... à s'accomplir, à se réaliser. Il fallait le nommer. Le faire venir à lui par le nom qu'on lui donnerait, grâce à quoi il pourrait s'appeler, s'adresser directement à sa conscience, se donner l'ordre de venir au monde et d'*être*... À l'image de son nom, qui ne l'appellerait plus en vain. Parce qu'aucun mot n'appelle rien pour rien : il se donne, dès qu'on le prononce, une existence de chose à part entière, dont plus personne ne pourra douter. On a dit *neige* et voilà la neige, on dit *monde* et voici le monde, tout entier « réalisé » – tourné d'une main de maître par un metteur en scène ou un preneur d'images, qui est bien davantage une sorte de grand sorcier[2], dont la baguette est un grand clap qu'il fait claquer comme une langue entre ses dents, dans sa manière à lui tout seul de crier *silence, on tourne*... Et c'est la terre qui se met à tourner. *Moteur !* et le monde entier qui se met à

2. Bé a écrit *sourcier* puis biffé l'*u*. *(N.D.É.)*

marcher... À mal marcher mais marcher vite : courir à cloche-pied.

Et c'est comme ça qu'on a trouvé le mot *ciel*, puis le mot *terre*. Et c'est comme ça qu'on explore encore le mot *espace*, et qu'on remonte le mot *temps*. On va sur place, sur le motif, et on tourne le mot dans son décor naturel, pour que *la chose* s'y reconnaisse. Comme n'importe quel chien reconnaît son maître quand il l'appelle. Vient en courant s'étendre à ses pieds et ne bouge plus... sinon pour l'accompagner, marcher *au pied*. Le nom est la laisse qui tient chaque chose par le collet : il faut éviter de trop tirer dessus car la chose en soi reste sauvage, même amadouée, dressée, domptée, et peut vous mordre les mollets. Tenir le monde en respect c'est retenir un fauve par la force des poignets, qui ne doivent fléchir en aucun moment devant les tentatives que font les choses de fuir leur nom et d'échapper ainsi à toute nomination, sans pour autant se servir du mot comme d'un étrangleur et de la chaîne verbale qui vous relie au monde comme d'un moyen pour l'étouffer.

Bref, on a trouvé un ciel pour le mot *ciel*, une terre pour le mot *terre*. Mais rien, en fait, pour le mot *et* qui les relie. Comme dans l'expression « remuer ciel *et* terre » – ce qu'on a fait, mon équipe et moi, pour retrouver cette particule élémentaire, ce corpuscule, ce nucléon, ce quark... car c'est bien là le problème, le mot *et* renvoie à un niveau subatomique de l'être, qu'on ne peut pas voir avec notre œil trop gros, qui est comme un nom qui embrasse trop, qui voit trop grand, qui pense trop large, ainsi le mot *monde* et le mot *Dieu*, pour ne prendre que ces deux exemples parmi les plus gros, quand il faudrait un tout petit mot pour le néant, un verbe nain pour le non-être, je veux dire un œil de mouche, plein d'alvéoles comme une ruche d'abeilles, pour voir un peu ce dont il s'agit : ce « rien » sans nom qui sépare ciel *et* terre depuis la nuit des temps, comme si cet *et*, qui les unit aussi, était la Nuit elle-même qui eût survécu à la lumière dans laquelle *ciel* et *terre* sont apparus, si différents l'un de l'autre, si éloignés, quand dans le sombre ils se rapprochent, dans la vie nocturne ils se touchent puis s'attouchent, s'abouchent, et dans l'obscurité complète des petites heures s'étreignent, s'embrassent clandestinement, le *et* entre eux telle une seconde peau qui n'appartient plus ni à l'un ni à l'autre mais à la caresse que fait, sans qu'on la voie vraiment bien qu'on la sente de près, la terre qui se frotte au ciel et inversement, d'où ne surgit plus qu'une étincelle, jamais la grande lumière du plein matin, rien qu'une fine particule de clarté crue, qu'une infime pellicule de vérité nue, celle de la rencontre du lointain avec les lointains que le mot *et* déclenche dans l'univers dès qu'on a mis le doigt dessus comme si l'on pressait le bouton de la caméra au moment où l'invisible passe dans le champ du viseur qui aussitôt le cadre au plus serré.

Le mot *et*, c'est le grand entremetteur entre les choses d'en haut et les choses d'en bas, les choses d'au delà et les choses d'en deçà, dont on ne voit jamais le portrait nulle part : ni avec les dieux ni avec les hommes... mais dans l'entre-deux, où vivent les anges et les démons. Entre deux mondes, toujours, entre deux langues, où vivent les truchements et les tricksters, qui sont *ici* et *là* dans le même moment, non pas parce qu'ils jouissent du don d'ubiquité, qui leur permettrait d'occuper plus d'un lieu simultanément, mais parce qu'ils possèdent le don des langues, qui leur donne droit de se déplacer du monde d'une langue dans celui d'une autre, comme le mot *et* se transporte de la langue d'un monde dans celle d'un autre, se glisse subrepticement entre le verbe céleste et le verbe terrestre, par exemple, pour les mêler et nous mêler avec, nous les mortels, qui ne savons plus *qui* est *qui*, distinguer l'air du sol, le haut du bas, le bien du mal, physique et métaphysique, l'Église de l'État, les Dieux des Rois, l'éthique et le politique, et quoi encore dont le mot *et*, qu'on le prenne au pied de la lettre ou par l'esprit, nous fait perdre l'identité, toute chose étant égale, désormais, comme le ciel et la terre dans un brouillard épais, une chute de neige et une tempête de sable, sinon dans un rêve où l'on voit en personne l'être impossible que nomme le mot *et* pour nous cacher la vérité, soit que la terre et le ciel n'existent pas plus que vous et moi qui avons perdu les mots pour les distinguer.

Suivez-moi bien : ces petits mots, le mot *et* ou le mot *mais*, le mot *ou* et le mot *donc*, on les appelle des mots-crochets, dans la grammaire de Galichet. Sans doute parce que les noms, les adjectifs, les verbes et les adverbes ne vivent qu'à leurs crochets : aucun autre mot ne tiendrait debout sans eux. Qui les accrochent à la paroi du monde : une esse à quoi ils pendent, en suspension dans le réel. Des mots *accrocheurs*, comme je les appelle. Car ils sont bien plus que des entremetteurs : ils unissent les noms aux noms, les verbes aux verbes, certes, mais ils les attirent aussi, ils les aguichent et les séduisent, autant vous dire qu'ils les racolent, afin de pouvoir les recoller, comme avant qu'ils ne soient séparés, avant le commencement du monde. La vraie copule, ce n'est pas *être* mais *et* : c'est par *et* seul que tous les mots peuvent copuler, s'unir dans des étreintes même éphémères, des unions libres ou des mariages forcés, dans toutes sortes de concubinages, licites ou illicites, des liaisons dangereuses ou particulières, des accolades et accolements qui se défont et se refont à volonté. Le mot *et* ? cette espèce de poing que font de leurs doigts liés et repliés les choses qui se tiennent par la main ne serait-ce qu'un bref moment. Elles vont deux par deux comme des amoureux qui savent pourtant qu'il n'y a pas de lendemains. Elles entrent à l'hôtel paume contre paume, puis en ressortent chacune de son côté, rentrant à la maison où elles s'empressent de tout oublier, et le mot *et* parti au loin, qui les sépare comme il les a liées. Mais, rassurez-vous, rien ne vit longtemps dans l'isolement, rien ne se passe d'une conjonction de coordination. Même les choses les plus isolées, les plus endurcies. Même les personnes les plus solitaires, les plus rancunières. Le mot *et* vous rabiboche n'importe qui avec n'importe quoi, vous réconcilie l'enfer *et* le paradis, tous les mots au monde qui ont divorcé sous la pression des contradictions, des petites chicanes et des grandes disputes dont les enjeux nous ont échappé, mais qui ont donné des antonymes par milliers, des antithèses et des antinomies, des antitouts et des antiriens, que coordonne jusqu'à la fin de leur vie ce petit mot-là qui n'a pas de poids mais n'a pas de prix, pas de sens précis mais une immense valeur, le petit mot *et* qu'on a cherché mon équipe et moi pendant des années... Voici le film des événements[3].

*Histoire d'*et *(La cécité des neiges)*

Avertissement

Certaines scènes sont d'une violence insupportable. D'une émotion froide, distante, amère, à la limite du pornographique. Prière de ne pas regarder ce film dans l'isolement, surtout si

3. Le professeur Bé a mis en marche le projecteur puis est allé s'asseoir dans la première rangée dès qu'on a éteint les plafonniers. Nous allons décrire le film scène par scène en ajoutant en italique les propos tenus en voix off ou *voice over* par le célèbre conférencier. *(N.D.É.)*

vous n'avez pas dix-huit ans d'âge mental, comme la plupart des adultes, si ingénus, si incrédules, comparativement à la grande majorité des petits enfants, qui peuvent tout voir sans s'offusquer parce que dans leur tête c'est comme s'ils avaient *tout vu*, tout ça, et bien d'autres choses, qui s'effacera d'un coup dans leur passage à l'âge mûr.

Séquence un

L'écran est blanc, immaculé. On ne sait pas si on est encore avant le film ou bien déjà *dedans*. Plongé. La pellicule n'a peut-être pas été impressionnée ? Ou a-t-elle été surexposée ? Ou bien la scène que Bé et son équipe auront tournée se déroule-t-elle dans un climat particulier, brouillard, blizzard, neige fondante ou pluie verglacée, qui nous empêche de voir ce dont il s'agit... qu'on finit par comprendre dès que le professeur se met à parler. D'une voix qu'on dirait *gelée*, comme une image. Serrée par le froid, le vent. Peut-être le vide. Où elle résonne. Comme quand on parle dans une pièce déserte, sans rien au mur ni au plancher. Une immense pièce nue, abandonnée...

VOIX DE BÉ : *C'est au plus près du Pôle que les mots égarés retrouvent leur Nord, leur seul véritable sens : le sens de l'orientation. C'est dans le Cercle polaire qu'ils tournent en rond pendant des années... autour de* la chose *qu'ils cherchent à capturer. Cette neige qui fond, qui part au vent... dès qu'on essaie de l'attraper...* [silence, bruit de vent]... *C'est dans le Grand Nord qu'on a retrouvé le premier* et. *Non pas le mot lui-même, mais l'espèce de chose qui vient, en rafale et en poudrerie, quand on parvient à en prononcer l'unique syllabe pour la toute première fois. Après tant d'autres, où l'on n'émet qu'un peu de vent. Sans rien dedans... Que dalle !... C'est dans le blanc laiteux. Le blanc lactescent. Dans le golfe gelé de Kotzebue, entre Noatak et Point Hope, à cinquante kilomètres de Kivalina, à l'extrême nord-ouest de l'Alaska... ce mot esquimau qui signifie « continent », mais désigne une chose qui ne se contient pas, déborde dans l'océan,* incontinent *de neige, de glace, de vent, qui souffle sa brusquerie jusque dans les Asies et les Russies. C'est dans cette transparence de lait. De sens propre. Qu'un peu de non-sens, seulement, trouble et pollue. Dans l'archipel des Oualétains, découvert il y a près de cinquante ans, aux abords de la mer des Tchouktches. Sur la ligne même de l'antiméridien, où d'un côté le jour se lève et de l'autre la nuit tombe, si je puis m'exprimer de la sorte, pour dire que le temps passe, partout égal, et que là-bas il saute, chute puis se relève, presque du même pas, franchissant en boitillant le mince fossé entre deux journées ou deux nuitées, petite dépression entre deux instants, où l'horloge du monde s'arrête pour qu'on la remonte d'un coup de ressort au creux des reins, d'un tour de clé dans le dos ou de manivelle au ventre... Ce serait donc là, en Oualétie, entre janvier et février, quand ciel, terre et mer ne font plus qu'un, indémêlés, comme dans les premiers temps, les premiers lieux, qu'on pourrait enfin le retrouver, le mot* et *en chair et en os, en glace, en vent, l'isthme parfait, la langue de terre, de neige et d'air qui lèche le premier lait que les dieux laissent dans l'univers, pour que croisse leur créature, nourrie au sein des mots, des verbes et des adverbes, des particules élémentaires, dont on est sevrés depuis des années, des millénaires, depuis que l'Histoire a commencé, qui succéda à la Nature dans le règne des choses sur leurs noms mêmes, qu'elles n'arrêtent plus de dominer...* [Long silence, bruits de pas dans la poudreuse, et comme un halètement... du professeur en *voice over* ? d'un personnage qu'on ne voit pas encore sur l'écran qui est resté blanc, désespérément, avec quelques nuances, ici et là, blanc pâle ou blanc foncé, l'ombre du blanc sur le blanc ombré ?...]

... Les mots n'apparaissent qu'au moment où les choses se retirent, qui prennent toute la place dans l'univers, ne leur laissant qu'une petite poche d'air dans le fond de la tête ou dans le creux de la bouche. Il faut remonter l'espace comme on remonte le temps pour espérer un jour les retrouver, dans l'un de ces endroits où il n'y a rien qui nous distraie de leur patiente observation, comme d'un oiseau d'une espèce aujourd'hui disparue, ou de leur profonde contemplation, comme d'un tableau d'un genre qu'on n'a pas encore peint, par manque d'imagination... Il faut au et *une impeccable virginité : un monde intouché. Sur lequel il soit le seul à pouvoir mettre la main. Mettre le pied. Et peut-être plus : le corps et l'âme que ça lui fait quand on lui donne sa propre voix...*

Séquence deux

Quelques silhouettes paraissent, dans le fond du blanc : quatre hommes et une douzaine de chiens. Des aboiements, au loin. Mêlés au vent, qui jappe aussi, plus fort encore. On dirait qu'il mord. Rage. Puis plante ses dents. Partout et au visage, au sang. Une impression générale de glaciation de l'*être* bien plus que du monde ou de la planète. Ce n'est pas la terre qui gît sous cette calotte glaciaire, d'une épaisseur d'au moins sept ciels, mais un Grand Dieu qui s'appellerait l'Humanité, parce que tous les autres noms pour la divinité sont déjà pris par des dieux morts depuis des années. Une sensation de froid aux yeux, au cœur... et à la gorge, où tous les mots sont pris comme de la glace dans une bouteille, qui va éclater, si on ne parvient pas à les prononcer, à les réchauffer avec sa voix pour qu'ils coulent de source dans ce monde sans pitié qui gèle jusqu'à votre souffle... Bref, quatre hommes avancent péniblement dans ce qui n'est plus depuis longtemps leur élément : la neige comme un néant...

VOIX DE BÉ : *... le vide glacé est l'élément naturel des mots qui n'ont rien à nommer. C'est comme les limbes pour les enfants qui ne sont pas baptisés. Ils n'ont pas reçu le nom sacré qui leur donne une vraie demeure : le vert paradis des amours enfantines, le noir enfer des angoisses les plus puériles, que sais-je encore, une terre où vivre et mourir, jouer à la corde et être enterré... Alors que le monde non baptisé est un no man's land sans herbe ni air : de l'espace pur et enneigé, où on ne peut qu'errer comme une âme en peine... puis s'enliser. Nous avons marché pendant des semaines et des semaines, mon équipe et moi, ne rencontrant en chemin que deux ours polaires et un troupeau de caribous, mais depuis deux jours, rien, rien, moins que rien : de la neige qui pousse du sol, bien plus qu'elle ne tombe du ciel, où elle monte en vrille, soufflée par le vent... Mes hommes marchaient, marchaient, mais on aurait dit que la terre ne tournait plus sous leurs pas : on avançait à la verticale, creusant sous soi. Le temps seul avançait, laissant tout l'espace stagner, vaste étang gelé qui nous empoignait par les deux pieds et ne nous lâchait plus, neige mouvante nous avalant par le bas... La peur de mettre le pied dans le vide, de piétiner le néant, nous figeait sur place comme des glaçons : quatre cierges de givre dans leur chandelier de verglas. Nous étions les dernières bougies humaines encore allumées sur terre et qu'un souffle violent venu du pôle allait bientôt moucher...*
[Silence, bruit d'air.]

... Je leur ai dit de ne pas perdre courage : nous approchions. C'est quand on ne voit plus que le souffle qui plane sur les eaux gelées du monde qu'on est au plus près de la pure et simple énonciation... où apparaît le mot et, *enfin, parmi les autres apparitions, les aurores boréales, les arcs-en-ciel polaires, les anges et les dieux. Ou bien les démons. Au plus près de la grande bouche d'ambre, de la grande bouche*

d'ivoire, qui ouvre ses lèvres immenses au centre exact du pôle magnétique d'où s'élancent vers le ciel les mots aimantés par l'imprononçable nom de Dieu, qui les attire comme des prières, ou des injures, des grandes colères s'exprimant toutes dans des pleurs rances ou des cris gras, et qui les accroche dans l'air par leur dernier souffle, suspendus dans le vide et dans l'effroi, dans le vertige et dans la peur, pour que le monde tienne, ici-bas, gigantesque boule blanche bourrée de choses innommables, qui ne se maintient dans l'être que par cette infime chaîne des mots insensés que la grande gueule du pôle jette à la face de Dieu pour qu'il retienne notre pauvre présence, nous qui portons des noms sans forme ni fond, sinon ce gel entre nos lèvres, notre propre souffle pris dans la glace de nos paroles, notre âme réfrigérée, qu'aucun printemps n'arrivera plus à décongeler, l'Histoire de l'homme se refroidissant à chaque nouveau siècle, ne bougeant plus, bientôt, qu'à la façon des grands glaciers, d'un millimètre à tous les millénaires, ou se détachant brusquement comme un iceberg, lourde banquise à la dérive qui n'attend plus que son Titanic, celui où l'on vogue, mon équipe et moi, à gauche puis à droite, jamais devant, acculés qu'on est au mur de glace qui s'avance sur nous et sur le monde entier...

Séquences trois et quatre

Les quatre hommes, filmés de face, en raccourci, s'enfoncent dans la neige dont ils s'extraient péniblement, comme s'ils luttaient contre une loi de la gravité plus sévère que jamais, qui s'appliquerait au ciel tout entier, dont le vide interstellaire n'aurait plus le privilège de l'apesanteur, pesant de tout son poids sur les épaules de chaque homme et sur le dos des chiens, qui disparaissent de l'image dès la séquence suivante, où une grande crevasse fend l'écran, comme si elle coupait le monde en deux, un énorme fossé, deux falaises face à face, dont Philocrate Bé nous apprend en *voice over* que c'est une frontière linguistique et ontologique (*sic*), une douane naturelle où l'on paye d'un peu de sa vie le droit de passage vers une autre vie, je veux dire une autre réalité que nous révèle le sens littéral du mot *et*, avant que ne la recouvre tout entière son sens figuré, et que cette frontière est le point exact où deux mondes se tournent le dos, l'Extrême-Orient et l'Extrême-Occident, l'Asie qui n'a pas commencé et l'Amérique qui a déjà fini, une faille dans le temps, une faute dans l'être, une erreur de l'espace, bref l'interstice entre deux îles que les Oualétains appelaient, avant que leurs terres ne fussent englouties et ne ressurgissent quelques siècles plus tard avec les plaques de granit rose qui leur servirent de dalles où ils gravèrent au poinçon de pierre ou au burin les lieux et dates de naissance puis de mort de leurs ascendants, glyphes que le froid polaire, qui congèle tout, ici, même le temps, le mauvais temps, aura permis de conserver quasi intacts, l'interstice, donc, que l'oualétais nommait l'île d'Avant *et* l'île d'Après ou, dans différents patois, l'île du Levant *et* l'île du Ponant, l'île Gauche, l'île Droite, l'île Jaune, l'île Blanche, quoi d'autre encore que les linguistes n'ont pu recenser...

VOIX DE BÉ : ... *Ce n'est pas l'Homme que Dieu a créé à son image mais le Nom, aussi invisible que lui. Et le mot* et *par-dessus tout, plus invisible qu'aucun dieu ne l'aura jamais été. Ce lieu du monde que vous voyez, aussi désert qu'un écran blanc qu'aucune image n'a encore entaché, sali, souillé, c'est le point précis où Dieu, qui pense en rond, a commencé sa création et l'aura bientôt finie. Je dis* bientôt *parce que le monde est inachevé, l'espace n'est pas plus fini que ne l'est le temps, l'histoire, la vie. Car Dieu s'est arrêté* ici, *pour le moment.*

Interrompant son œuvre, qu'il a mis des siècles et des millénaires, non à parfaire, parce que rien n'est encore parfait *dans ce bas monde, ni même dans l'univers, mais à* avancer, *à avancer considérablement, jusqu'à ce point entre l'île d'Avant et l'île d'Après, qui reste inoccupé depuis des années : aucune présence, pas même quelque néant, mais le* rien *à pic comme un abîme, qu'aucune pensée humaine ne pourrait franchir...* [Silence... silence de glace.]

... On était là, mes compagnons et moi, à contempler la faiblesse de Dieu, qui n'a pas eu le cœur de finir son ouvrage, pas eu le courage de terminer son œuvre... laissée en plan, laissée en blanc, ici même où on attendrait pendant des jours, des semaines, des mois s'il le fallait, que Dieu reprenne les choses là où il les avait laissées, il y a quelques décennies, découragé par l'homme qui ne pensait plus qu'à s'exterminer et à emporter avec lui les langues du monde les plus menacées, l'hébreu compris, sa langue élue à Lui, élue parmi toutes les langues pour dire le Vide qu'il est au plus profond de son être, qu'on ne remplit jamais qu'avec des prières, ces mots sans suite ni aucun sens qui ne renvoient plus qu'à ce qui nous manque, nous manque terriblement, et dont le désir qu'on a rivé à l'âme d'y atteindre un jour sans espérer le moins du monde le posséder ni le toucher du doigt, seulement, ne sera jamais comblé, jamais exaucé... L'attente serait longue, je m'en doutais. On s'est installés tout près de la faille, dans un igloo qu'on a mis des heures à bâtir parce que la neige était si friable qu'elle s'égrenait entre nos mains comme du sable dans un sablier – je ne sais plus qui d'entre nous a dit : de la poussière dans de la poussière... On se plaçait en cercle du matin au soir, trompant le froid, la faim, le temps, non en parlant ni en chantant, mais en « priant », priant tout haut que Dieu le dise, son dernier mot, ce mot et *qu'on attendait comme l'ultime*

moment de l'humanité, après quoi autre chose pourrait commencer...

Séquence cinq

Il n'y a plus que trois hommes dans l'image. Et on est toujours sans nouvelles des douze chiens. Où sont-ils donc passés ? Avec P. Bé, de l'autre côté de la caméra ? Le professeur filme de loin, pour qu'on voie bien l'immensité autour des hommes, leur petitesse, leur *petiterie*, la *petiteté* de l'Homme avec un grand h. Ils sont serrés les uns contre les autres, comme un seul homme, comme un homme seul, de sorte qu'on a du mal à les compter. À la fin de la séquence, faite de trois ou quatre plans, peut-être tournés en trois ou quatre jours, il n'en reste que deux : deux hommes siamois... La visibilité est de plus en plus réduite : à la neige s'ajoute de la brume, qui couvre l'écran d'un voile ténu... tenace... et entêté... qu'on ne verra pas se lever avant longtemps. Le paysage est pure attente, patience sans fin. On guette. Avec ces hommes. Et avec Bé. On ne sait trop quoi, mais on est là, yeux grand ouverts autant que l'image semble fermée. Aux aguets d'*et*. J'écrirais *Et*, plutôt, tellement ce mot-là me paraît un patronyme : le Grand Crochet à quoi tout le monde est suspendu, comme nous aux lèvres de ce grand gouffre qui se profile derrière la vague silhouette de nos deux hommes qui n'en font qu'un, une seule et même ombre projetée au sol comme un regard qu'on jette de temps en temps dans le fond de l'abîme pour voir si cette histoire prendra un sens, enfin, si elle trouvera sa conclusion, si on pourra, comme Bé essaie désespérément de le faire en *voice over* ou en voix off, en tirer un jour quelque leçon.

VOIX DE BÉ : ... *Les îles Oualétéennes jouissent d'un étrange climat, surtout en hiver. Une espèce de brume chaude s'installe parfois au-dessus et en dessous du plus grand froid, qu'elle prend dans son étau, comme si la surface de la terre, couverte de glace et de neige, vivait dans un éternel tombeau, une morgue, une crypte ou un charnier... une chambre froide, où se conserve pour quelque temps ce qu'on appelle la Réalité, toujours portée à se décomposer, pourrir ou bien moisir, si on ne baisse pas la température du sang qui coule en elle trop rapidement, comme le temps, comme la vie même qu'il faut pouvoir* geler, *telle une image au cinéma quand on veut montrer au spectateur un petit détail que son mouvement trop échevelé ne permet pas de distinguer... Nous étions pris, mes amis et moi – en tout cas moi, car mes amis m'« abandonnaient ». Les chiens aussi, pas si fidèles qu'on le croit... Leur « attente » a des limites, qu'ils ne franchiront jamais. Préférant* mourir... [Deux minutes de silence. Épais. Deux mètres de neige et de glace, en plan rapproché... Fondu au blanc.]

... Sans doute est-ce dû à la proximité de la mer des Tchouktches, qui dégage des miasmes même en janvier, et à la position que nous occupions entre la pointe de l'Espoir, que les Alaskois appellent Point Hope, *dans le prolongement de la chaîne de Brooks, formée d'anciens volcans, et le cap Dejnev en Yakoutie du Nord, dans la continuité de la chaîne de l'Anadyr, où l'on retrouve d'anciens geysers... toujours est-il que les îles Oualétéennes, comme ici même, entre l'île du Levant et l'île du Ponant, et aujourd'hui même, le trente-deuxième de l'expédition, se trouvent parfois plongées dans un océan de brouillard qui est comme une mer dans l'air, qu'on ne distingue plus de la mer de glace, de sorte qu'on perd conscience du haut et du bas comme de la gauche et de la droite, déjà, de la distance et de la proximité, qu'un œil humain, dans ces circonstances, n'arrive plus à pouvoir juger comme il se doit, un esprit encore moins... une âme ou un cœur, n'y pensons pas.*

On avait donc perdu tout sens de l'orientation : où *et* quand *n'avaient plus pour nous aucune signification. Pas plus que* qui *ou* quoi, *et encore moins* pourquoi. *On était prêts pour sa venue, au* Et. *Au grand* Et *blanc qui allait enfin tout avaler, l'espace, le temps, tout engouffrer dans son détroit... C'est quand l'homme a perdu le sens, et celui même de sa propre vie, et que le monde a perdu ses points de repères, le Nord, le Sud et tous les autres points cardinaux, les parallèles, les méridiens, les longitudes, les latitudes et autres altitudes, que les mots sortent pour nous guider, et le grand* Et *pour nous montrer d'un même élan l'entrée et la sortie, le grand passage qui nous a manqué depuis des siècles et des millénaires, le défilé de la grande transhumance des espèces vivantes ou disparues, d'Est en Ouest et inversement, comme une mer Rouge d'en Haut, dans l'Extrême-Nord de l'être, qui s'ouvre d'un coup sous le geste éloquent d'un Moïse de glace qui tend son bras de terre gelée comme un grand* Et *au-dessus des flots pour qu'ils s'écartent et laissent passer un peu de notre pauvre humanité, à la recherche de sa Judée...*

Séquence six

Vue en plongée du gouffre entre les deux îles. On voit la brume flotter dedans. Qu'elle emplit à ras bords. Jusqu'à la commissure des lèvres, d'où quelques gouttes débordent. Contre-plongée sur le ciel lourd, léger, on ne sait plus trop : c'est de la ouate épaisse, un brouillard dense dans un abîme qui s'ouvre vers le haut. Il n'y a personne devant l'objectif, plus âme qui vive : ni homme ni chien. La neige, la brume, seulement. Et l'on ne sait plus, ne voyant personne qui gèle, tremble ou grelotte, s'il fait chaud ou froid, s'il faut se réjouir ou s'effrayer, si le bien et le mal existent encore ou s'ils se sont évaporés, avec les membres de l'équipe, avec le haut et le bas, avec le sens moral de notre orientation sur terre et sur les mers, quand tout est gelé et comme taillé dans la même matière, le ciel compris et le néant des gouffres...

De longues minutes passent, où Philocrate Bé fait des travellings à n'en plus finir entre le ciel bouché et la faille que la brume obture, de plus en plus dure, comme si l'haleine d'une bouche d'homme se condensait en mots, se glaçait en une parole qui garde le souffle de vie d'où elle vient, depuis l'état gazeux de l'âme dont elle s'extrait au plus profond du corps, sous la forme d'un fossile verbal dur comme une balle de neige lancée contre le mur du monde, ce mur aveugle des visages de glace que l'on rencontre en chemin, comme un écran blanc où l'on projette des images à quoi rien sur terre ne correspond et qui nous obligent à inventer des ailleurs et des lointains où ces figures et ces métaphores aient quelque sens, enfin, comme on en imagine au mot *Et*, dont on cherche partout ce *nulle part* vivant où il nous mène secrètement, nous perd à jamais...

VOIX DE BÉ : ... *Certains prétendent que les îles Oualétéennes n'existent pas. Ce sont les mêmes, en général, qui croient que le mot* Et *n'a pas de référence et que son sens se limite à connecter – plusieurs de mes confrères appellent ces mots des* connecteurs, *en effet, signifiant par là un pur système de liaison et de branchement. De câblage entre les mots. Moi je leur dis : on ne câble pas les mots pour rien, mais pour capter leur énergie et la transporter, non seulement de nom en nom mais dans le réel, aussi, dans la plus pure réalité. Les mots branchés entre eux par la force du* mais, *du* ou, *du* et, *redoublent d'énergie, de forces secrètes qui se communiquent de l'un à l'autre et se transmettent à l'univers des choses. Il n'y a pas que les cinq forces de la physique qui existent dans le monde, l'électromagnétique, l'électrostatique, la gravitationnelle, la nucléaire et les différentes forces de frottement, dans lesquelles seules croient mes collègues et tous les savants : il y a la force onomastique, qui communique son énergie aux choses qu'elle touche en leur collant un nom...*

... C'est comme un survoltage : quand le monde est à plat, comme ici même, au large de Kivalina, entre la mer des Tchouktches et le golfe de Kotzebue, où rien ne se passe que du blanc pur, à l'infini, les mots que l'on « connecte » les uns aux autres par le mot Et, *« groundé » au plus profond de l'être, grâce à cette prise de terre et d'air, cette prise de neige, de glace et de vent qu'incarne son sens qui n'en est pas un mais cent, cent sens dans un non-sens qui les unit, les charge à bloc d'une énergie qu'on dit* du désespoir, *parce que c'est là la dernière chance qui se présente à l'humanité de montrer enfin de quelle espèce elle est, espèce parlante et agissante, qui saura joindre le geste à la parole, la vie aux mots... bref, les noms qu'on branche dans le même circuit dont* Et *est le fusible ou le disjoncteur provoquent dans l'être un électrochoc : le courant passe du verbe au monde... qu'il secoue, ébranle, de convulsion en convulsion, et met en branle, soudain, par transduction du sens en de l'essence que la chose pompe comme si elle suçait le lait des mots, leur sang, leur sueur et toutes leurs humeurs, les glaires les plus opaques, les biles les plus noires en même temps que les pleurs les plus clairs et les plus douces salives, et c'est alors que le moteur du monde, grâce à quoi chaque être fut créé de toute pièce, se remet en marche et que la Création peut enfin redémarrer, par delà ce qu'on croyait fini, dans ce monde où tout se décrée, et qu'une nouvelle genèse, une nouvelle gésine peut reprendre les choses là même où Dieu les avait laissées, à demi incréées, bâclées et mal ficelées, non liées entre elles par le mot* Et, *qu'il n'a pas eu la force d'imaginer ni le temps de découvrir ou d'inventer, quand le génie de*

la langue seul, l'ingénierie onomastique et son énergie propre auront pris le relais de sa Force créatrice vidée, épuisée net par ces horribles meurtres en série que l'homme commet sur sa Personne depuis des siècles, et auront fini naturellement ce qu'il a laissé tomber prématurément : cet avorton qu'on appelle le Monde, qu'il faut incuber dans le Langage pendant des mois pour qu'il se remette de cette mort clinique qu'on a déclarée sans que personne n'ait essayé de le ranimer, criant son nom, par exemple, seulement son Nom et le criant très fort : Monde ! Monde ! Réveille-toi, car Dieu est parti et c'est ton Nom, maintenant, qui prend soin de toi, et tu n'as rien à craindre, désormais, ton Nom te berce, te lange, t'allaite, il lèche tes plaies et coud tes cicatrises, reprise tes membres écartelés puis dispersés, bande tes cassures et tes fêlures avec des et, des ou, des mais, toutes sortes de mots qui sont des prothèses et des écharpes et des pansements pour tes parties malades, blessées, heurtées, toutes ces choses en toi laissées sans soin, ces pauvres îles Oualétéennes tombées dans l'oubli... et dans le fond nocturne de l'océan Arctique, où on les a enfouies, immergées dans le grand Néant où Dieu aura plongé son œuvre après l'avoir mise bas rien qu'à moitié, prenant conscience qu'il ne pourrait jamais l'aimer, bien trop violente, bien trop féroce pour sa trompeuse magnanimité, qui a des limites, quand même, des bornes qu'on ne franchit pas, à moins de risquer comme à Sodome, comme à Gomorrhe, comme à Babel, la grande Rature qui raye toute chose de l'univers, toute l'encre de Dieu coulant sur l'être comme c'est arrivé dans le Grand Déluge où son dessin fut tout entier noyé, et le texte de sa parole à jamais brouillé, comme s'il avait versé des larmes dessus ainsi qu'il fera sur l'Atlantide, ce continent qui gît, telle une épave de terre et d'homme, à quelque deux cents kilomètres de fond au large du Finistère, ce très beau nom pour la Terre

*Finie, ainsi qu'il fera encore quelques millénaires plus tard sur l'*Arctide *que forme le continent brisé et disséminé entre le golfe de Kotzebue et la mer des Tchouktches dont les quelques vestiges qui restent s'appellent comme vous le savez les îles Oualétéennes, à ne pas confondre avec leurs sœurs jumelles, l'archipel des Aléoutes, à plus de deux mille kilomètres au Sud, entre la baie de Bristol et le golfe d'Alaska...*

Séquence six (bis)

Le professeur parle, parle... et on dirait que sa voix s'efface. Une sorte de *fade out* que l'on entend distinctement. Comme on *le* voit sur l'image même, la caméra fixée depuis de longues minutes sur la buée qui couvre le gouffre et s'opacifie, ne laissant plus voir que la progressive disparition de tout contour : on ne distingue plus les bords de l'abîme, les grandes et les petites lèvres de la fente qui se recousent peu à peu, se recollent, retrouvent dans cette brume qui les suture un semblant de nubilité ou de virginité, cette mémoire du temps où rien encore n'est séparé, soi avec soi et puis rien d'autre, pas même son nom qui se met toujours entre sa personne et son image, comme un fossé ou un miroir. L'effet est invariable : un viol constant, multiple et continu, de sa plus tendre intimité, de sa plus pure identité... plongée dans l'Inconnu, ce bain de glace où tout se noie...

VOIX DE BÉ : ... *Les îles Oualétéennes forment le demi-cercle qui manque pour refermer l'anneau magique qu'on voit s'esquisser, à quelque cinq mille kilomètres du cercle Polaire, lorsqu'on observe du haut des airs l'arc parfait que forme, au Sud, l'archipel Aléoutien, prolongeant la péninsule d'Alaska, à l'Ouest, et, à l'Est, la péninsule de Kamtchatka, qui elles-mêmes se situent dans le prolongement immédiat de la chaîne du mont McKinley et de la chaîne de Brooks, pour l'une, et, pour l'autre, des monts Koriatski et de la chaîne de l'Anadyr que baignent, de part et d'autre, la mer des Tchouktches et la mer de Béring... Les îles Aléoutiennes sont une parenthèse ouverte... sur le vide glacial, là-haut... que Dieu lui-même, toujours pressé d'en finir, aura omis de refermer... La Oualétie témoigne, par son absence des cartes et des mémoires des géographes et autres explorateurs, de cette négligence divine, de cet impardonnable Oubli, qui fait qu'on a depuis ce jour les yeux tournés vers ce grand froid des espaces infinis dont le vide effraie. Mais elles sont là, pourtant, les îles Oualétéennes, et vous les voyez... Encore couvertes de ce blanc mat, les eaux crevées et le plasma spumeux des nouveau-nés, à peine sorties, comme Vénus nue de sa coquille, du sac amniotique de la mer Arctique toute tremblante encore des affres et des tourments de sa gésine : les îles de Oualétie sont les chaînons manquants de cette immense chaîne naturelle qu'incarnent, mis bout à bout, les monts, les péninsules et les archipels que je viens de nommer, qui sont chacun l'un des arcs brisés du Cercle Polaire que les eaux boréales ont à demi noyé... Je m'explique.... Le Pôle n'a pas toujours été là où il est, c'est pourquoi la terre paraît désaxée et l'homme encore plus, qui a perdu le nord, le sens de sa vie, l'amour de sa mère et toutes les batailles de son histoire... Le Pôle Nord se situait jadis au point exact qu'on appelle désormais le passage du Nord-Ouest, au beau milieu du détroit de Béring, entre Wales et Quelen, qui forment respectivement le bout de la queue de l'Extrême-Occident et le bout du nez de l'Extrême-Orient : la fin de presque tout et le commencement de presque rien, le but et l'origine perdus d'une terre qui n'a désormais plus de sens et plus même de consistance, du vent, de la neige, de la glace qui fond lentement ou s'accumule au cours des siècles en une énorme calotte glaciaire qui pèse des tonnes sur le crâne complètement chauve de notre vieille humanité...*

... Bref, l'anneau arctique s'est déplacé il y a de cela quelques millions d'années, quand la terre entière reçut l'un de ses derniers électrochocs, qui la secoua pour l'éternité et la changea du tout au tout... Plusieurs de ses neurones ont été brûlés, je devrais dire gelés. *Comme si le temps s'était arrêté, et tout entendement qui nous permette de mieux comprendre d'où l'on vient et où l'on va, et qui on est pour se poser de telles questions... à propos de quoi au juste, sinon du monde tel qu'on le connaît et ne le connaît pas, le connaîtra jamais... Ce coup qu'elle a reçu, la terre avec tout cet air qui l'environne, qu'on appelle* ciel *à défaut de mot pour le décrire comme il est vraiment, plus vide encore que ne l'est le Néant, ce coup vicieux, qui lui visa la tête, entre les yeux, lui pointa l'âme, en fait, touchant le point le plus haut et le plus sensible de la Réalité, celui où prend racine le Sens sur quoi chacun s'oriente ici-bas, les linguistes comme les explorateurs, les gens ordinaires ou exceptionnels, le Nord puissant qui nous aimante et donne un sens à notre Histoire, qui cherche le blanc, le blanc le plus blanc que seuls incarnent la chair vivante des neiges éternelles et des névés, le sexe des vierges et le cœur des jeunes enfants, ce coup, donc, ce mauvais coup, devrais-je dire, c'est la Naissance du Verbe qui le lui a donné, la grande parturition verbale, l'énorme gésine langagière qui ébranla le monde de la tête aux pieds, dont l'axe ou le pivot sortit de ses pôles ou de ses gonds, s'inclinant sur la droite, penchant vers l'est, c'est-à-dire vers l'Occident... car si l'on regarde la carte du monde verticalement, dans l'angle du Pacifique, l'ouest est à l'est, paradoxalement, comme l'est à l'ouest... et tout sens dessus dessous... mais ça, c'est une autre histoire, qui nous détourne de mon sujet... soit la déviation du Monde comme on parle d'une*

colonne vertébrale déviée, *d'une épine dorsale à jamais tordue, du squelette défait de notre Réalité... avec ses os cagneux, gauchis et torsionnés, qui font un monde voûté, à jamais vieilli, penché sur lui-même comme un mourant sur sa propre vie...*

Séquence sept

La distance entre les deux îles, de l'Après et de l'Avant, du Ponant et du Levant... dans cet ordre-là, voulu par Bé, qui voit la fin avant le début, la cible avant la source, le « vu » avant la « vue », ce sont ses mots à lui, l'effet avant la cause, aussi, et l'origine bien après le but, atteint et réatteint, tout entier parcouru, franchi dans toute son épaisseur, au delà de quoi tout recommence, sans fin... bref, la distance que le gouffre de brume creusait entre les deux îlots oualétéens paraît réduite presque à néant, la buée de glace qui s'est formée au-dessus de l'abîme comme un pont d'air solide entre les lourdes congères que forment ces invisibles terres couvertes de neige comme d'une seconde virginité, qu'on pourrait de nouveau violer, mettant la main, le doigt, le pied là où l'humain n'est jamais passé et peut-être même jamais le divin, sinon quelque démon d'une très ancienne religion dans laquelle plus personne ne croit, l'haleine givrée de la grande bouche blanche que forme le gouffre plein à ras bords de bruine gelée, vous dis-je, et ce n'est pas exagéré, comme en témoigne l'image que vous voyez ou *visionnez*, dirait P. Bé, parce que c'est bien d'une « vision » qu'il s'agit, vous l'avez compris, vous n'êtes pas si bêtes, enfin pas autant que vous ne le paraissez, le regard béat et la bouche bée, devant ces scènes qui étonnent en effet, au point de vous rendre baba, fada, gaga ou je ne sais quoi, cocu peut-être, et pourquoi pas, au point où on en est, sur ce pont d'haleine givrée de bord en bord, ce souffle verglacé, cette buée d'âme en surgelé qui forme une passerelle comme un grand *Et* couché sur le côté, prêtant le flanc au pied de l'homme qui peut enfin marcher dessus et puis passer *de l'autre côté...* où l'on voit Bé, maintenant, seul homme qui reste, plus vraiment homme, mais ce qui en reste, qui s'est filmé lui-même, la caméra posée sur son trépied qu'on imagine enfoncé dans la neige profonde du côté qu'il quitte, franchissant l'isthme de dos, à reculons, fixant l'objectif avec un sourire bizarre, un sourire gelé, figé, comme une image pour l'éternité, comme le petit pas d'un homme désormais seul, qui laisse sa trace dans l'éphémère, comme un grand bond pour l'humanité dont l'ombre reste, incrustée vive, reflet obscur dans le miroir de glace du pont de buée, souffle ténu qu'un mourant laisse sur le miroir qu'on glisse sous ses narines pour *voir* s'il est encore vivant, comme on voit Bé, maintenant, qui a franchi l'abîme et tourne le dos à la caméra, dont la lentille se brouille sous la neige qui tombe de plus en plus fort, de sorte qu'on ne voit plus bientôt qu'une fine silhouette qui s'éloigne là-bas dans le grand fracas que fait entendre au même moment le brusque effondrement du ponton d'air gelé qui n'aura lié les îles jumelles de la Tombée des nuits et du Lever des jours que pour un bref instant, le temps que Dieu achève sa création par le mot *Et...* prononcé si fort dans l'univers qu'il résonne encore dans nos oreilles comme la rumeur d'un écroulement sans précédent, l'écho amplifié de la Chute des premiers Temps, quand les premiers habitants de cette Terre vivaient sur ce trait d'union manqué et éternellement manquant entre les continents, tel un arbre de Jessé couché par terre, fendu au milieu, l'échelle de Jacob tombée sur le flanc, ses barreaux cassés, la tour de Babel à l'horizontale dont l'éboulement dans l'histoire humaine fit un tel vacarme dans nos mémoires qu'on se bouche encore les oreilles pour ne pas tomber soi-même dans ce bruit d'enfer, échouer par les bas-fonds, comme après l'amour les corps s'effondrent dans leurs draps pollués et après sa délivrance la mère s'affaisse sur la table d'opération souillée de son propre sang et comme le professeur Philocrate Bé s'est laissé tomber pendant la projection dans un sommeil profond comme un vieux rêve jamais réalisé dont on ne sait plus si on pourra un jour le réveiller...

VOIX DE BÉ : *... J'ai passé le pont... Comme on dit passé l'éponge... Sur cette faute que Dieu aura commise : oublier* Et. *Laisser là, dans l'univers, ce trou béant qui sépare deux mondes qui n'en font qu'Un, la fin et le commencement se rejoignant comme un anneau qui se referme, dont la chaîne tiendra grâce au* Et *seul, qu'il faut énoncer, qu'il faut proférer partout dans le Réel si l'on veut un jour créer des ponts, que les choses cessent de vivre en solitaire et les hommes parmi elles comme des inconnus. Il faut souffler notre dernier mot : cet* Et *de glace et de vent froid qui unit tout dans son haleine givrée, pour quelque temps, au moins, une nuit d'insomnie où l'on n'arrive plus à faire le lien avec sa propre vie qu'en crachant dessus par moins vingt-cinq degrés, le glaviot de mots sorti de ses lèvres figeant en chemin en un ponton de bave et de jurons, ou bien un court moment, comme un éclair, où tout nous apparaît dans une telle luminosité qu'on préfère l'appeler* lucidité *même si on sait bien qu'elle ne provient pas de notre cerveau mais de la plaie ouverte dans le crâne du monde, dans le voisinage du pôle comme on dirait dans les parages du cœur, de l'âme, d'où vient que la terre tourne et assez vite, nous avec, d'ailleurs, plus vite encore, dans un sens qu'il reste à élucider mais sur lequel le mot* Et *prononcé avec conviction et obstination peut encore jeter un éclairage qui soit un pont entre le réel et nous...* [Silence... Silence criant.]

... Ces réflexions me sont venues après, bien après, quand j'ai pris la décision de monter ces quelques prises qu'au cours

de l'expédition je me suis permis de faire malgré les conditions de plus en plus mauvaises, et la perte une à une de mes compagnons, des chiens d'abord et puis des hommes, qui durent manger les chiens pour leur survivre, ne pas devenir leur proie à eux, qui nous regardaient de plus en plus avec de bien drôles d'yeux... Chaque plan est comme un deuil, où j'enterre dans le blanc chacun de mes camarades, avec l'impression que je leur donne le jour, en fait, les restitue à la lumière, la pure lumière tout animée des images cinématographiques, qui sont comme de la neige tombée sur le réel en gros flocons de pur mouvement, sans rien dedans qui ressemble à un sens ou à une figure, car les morts, chacun le sait, sont au delà de tout sens et de toute figure, n'ayant de visage que pour les dieux ou ce qui en tient lieu, l'œil du Néant... par lequel j'ai tout filmé, jusqu'à l'ultime moment, où le pont d'haleine glacée s'est effondré dans le bruit et la fureur, nous séparant éternellement, ma caméra et moi – « moi » ou quelqu'un d'autre, déjà, dont elle filmait de son côté à elle la lente disparition du côté où aucun homme ne revient jamais sur ses propres pas sans porter en lui le lourd fardeau du mot Et*, ce souvenir cent fois rappelé qu'un jour ou l'autre tout fut uni et noué serré, quand on ne va plus désormais qu'à des kilomètres l'un de l'autre, chacun de son côté, l'un vers la mer des Tchouktches, l'autre vers le golfe de Kotzebue, marchant sur les* Et *comme sur les eaux, sachant que chaque mot s'écroule derrière soi, faisant du monde un archipel dont chaque île est un nom perdu, solitaire et isolé, qui cherche en vain son* Et *parmi les vents, les airs, les embruns gelés et les bruines glacées.*

... La caméra filmait, filmait, et j'imagine qu'elle filme encore... comme si la bobine, dedans, s'était figée... Ainsi que le temps fait, là-bas, et le souffle humain, parfois, succombant aux glaciations, surtout en pleine nuit... Figée, oui... Et qu'elle

continuait d'impressionner la même image, toujours, sur le même bout de pellicule qui ne semble pas pouvoir s'user... La même image, comme une idée fixe : ma propre personne tournant le dos au gouffre qui vient de se reformer, tournant le dos à l'objectif que la neige qui se met à tomber commence à obturer... Au bout d'un certain temps, voulant calculer la distance infime ou infinie que mes propres pas sous mon corps gelé m'avaient fait franchir sans que je m'en rende compte le moins du monde, je me retournai : tout était blanc. J'avais vu Et... Et *m'aveugla.*

FIN

[La projection du film s'est terminée dans un silence gêné. Aucun applaudissement. Pas de huées, ni de sifflets. Ni quoi que ce soit du genre... Personne n'était sorti de la salle. Personne ne se levait encore. Rien ne bougeait. On aurait entendu une mouche voler, un flocon de neige tomber... On était sous le choc, ou complètement anesthésiés. Secoués. Gelés. On attendait en fait que le professeur reprenne la parole, pour nous sortir de cette torpeur... On attendait, on patientait... Comme ces hommes de tout à l'heure, au bord de leur gouffre... Comme Bé lui-même, à la toute fin, qui franchit seul, à force d'extrême persévérance, les lèvres refermées de la grande fente d'air entre les îles, que le mot *Et* cousait l'une à l'autre en un nuage de glace, si dur et si fragile en même temps, une buée qui fige, un pur néant fixé en une image répétitive, que Bé avait filmé pour nous montrer que tout était encore possible, que notre Histoire n'avait peut-être pas encore vraiment commencé...

Bref, on attendait, s'impatientait... Lançant des regards vers le siège où le professeur s'était engoncé, au premier rang, d'où l'on ne voyait que le haut de sa tête qui dépassait... comme s'il continuait de « s'éloigner » dans son fauteuil de la même façon qu'il était disparu dans les dernières images du film, qui furent sans doute son dernier décor... après quoi il aura vécu dans les coulisses de sa propre vie, se préparant chaque soir à la rejouer devant un public de plus en plus clairsemé, comme son équipe elle-même dans cette fatale expédition, dont la fatalité résonne toujours dans ses conférences et ses causeries, qui sont autant d'aventures dans le langage et dans la pensée, aussi dangereuses, peut-être, aussi risquées que celles qu'il fit au cœur des glaces et des neiges éternelles, qu'il allait bientôt rejoindre, lui, plus éternel qu'elles n'auront jamais été...

Oui, on attendait, on attendait... Jusqu'à ce que quelqu'un se lève et se dirige vers le siège du professeur, enfoncé dans la neige lourde d'un sommeil sans rêve, un coma blanc comme la mémoire après que le film des événements les plus importants de sa vie se fut rembobiné dans sa conscience pour la laver et tout effacer, un gouffre noir sans *et* ni *ou* à quoi s'accrocher, et que cette personne que toute la salle avait déléguée pour accomplir cette tâche dont chacun craignait pour sa vie même autant que pour celle du professeur Bé les conséquences et les effets, que cette personne donc, « volontaire » non consentante pour faire *ce qu'il fallait*, tende les deux bras vers les épaules du grand linguiste et les secoue, comme pour chasser la neige qui s'y était accumulée, chasser le sommeil qui lui prenait la tête entre ses doigts glacés, et tente désespérément de le ramener à lui... à nous, au monde et à la vie. Mais rien n'y fit. Rien n'y fait jamais. Philocrate Bé restait endormi, comme les grands paysages de glace qui s'étendent de la pointe de l'Espoir au cap Dejnev, en passant par le golfe de Kotzebue et la mer des Tchouktches, où aucune île n'apparaît, ni sur les cartes ni dans le Réel, aucune dépression ni la moindre élévation, pas de gouffre ni de congère qui puisse passer pour un abîme de buée ou un îlot de neige, mais partout en travers des eaux, des airs et du vent gelé qui composent ce monde de bord en bord désert et muet comme sera l'être à la fin des temps ou comme il fut à ses débuts, partout comme une rature sur le Réel, un grand *Et* nu dessiné en hâte avec le souffle et la voix de Bé, autant dire avec sa pensée, dont je consacrerai les jours qu'il me reste à vivre, si Dieu m'en laisse quelques-uns encore, à recueillir les innombrables fragments, aujourd'hui introuvables ou toujours inédits, si dispersés dans des dizaines de carnets et de manuscrits, des bouts de lettres ou des morceaux de son journal, qu'on croit souvent qu'il s'agit d'élucubrations sans suite, d'idées folles et décousues, d'intuitions sans rigueur ni aucun fondement, alors qu'ils forment un système cohérent où le Monde au grand complet nous apparaît sous un jour nouveau, une lumière polaire, qui lui redonne son Nord, son Sens de l'orientation, vers le bien comme vers le mal, vers la joie comme vers la douleur, tournant en rond dans le cercle arctique de son Insignifiance foncière, sous l'œil en larmes d'une caméra 16 millimètres plantée au milieu des glaces éternelles dans l'attente qu'un homme passe devant sans faire exprès et prononce en rêve le mot *et* d'où sorte enfin quelque chose qu'on pourrait filmer...]

Propos rassemblés et commentés par Pierre Ouellet[1].

---

1. Pierre Ouellet est poète, romancier, essayiste et l'un des rares spécialistes de la linguistique philocratyléenne. Il a fait la connaissance du professeur Bé et de ses singulières théories lors d'un colloque international sur *La mort des langues... et les mille façons de les assassiner*, qui s'est tenu il y a une vingtaine d'années à l'Université du Québec à Daveluyville (campus Manseau-Les Becquets) et il n'a plus cessé depuis cette date de développer les thèses « exploréennes » du grand linguiste sur le langage et ses ramifications dans le monde, comme en témoignent deux de ses ouvrages, *Voir et savoir*, sous-titré *La perception des univers du discours*, où le mot « univers » prend tout son sens et toute sa force, puis *Poétique du regard*,

---

qu'il a sous-intitulé *Littérature, perception, identité*, pour bien montrer que la « vision », selon les préceptes mêmes de Philocrate Bé, ne dépend pas de nos seuls yeux, à moitié myopes et recouverts d'une cataracte d'images toutes faites, mais de l'usage poétique ou esthétique qu'on peut faire des langues et de l'usage éthique et allocentriste qu'on peut faire de soi dans une conception altruiste de l'*Ego* et du *Logos*, qui donnent à *voir* au delà du monde commun et du moi propre un univers autrement imperceptible où le général et le singulier, l'extérieur et l'intérieur, l'intime et le public se rencontrent mutuellement et s'épousent de près dans ce qu'il appelle l'idio-universel, notion béenne qu'il a cernée avec acuité et illustrée dans des essais littéraires et artistiques comme *Chutes : la littérature et ses fins* et *Ombres convives : l'art, la poésie, leur drame, leur comédie*, où l'on peut sentir l'espèce de nihilisme foncier qui sous-tend cette « vision » philocratyléenne, parfois un peu naïve, du Verbe et de l'Humanité.

Légataire testamentaire du professeur, Pierre Ouellet est aussi responsable de l'édition critique de ses *Œuvres complètes*, dont paraîtra sous peu le deuxième volume, consacré à une étude inédite qui a pour titre *Humboldt et Humboldt*, ouvrage audacieux où Philocrate Bé tente de démontrer que Wilhelm von Humboldt (1767-1835), philosophe et philologue, père de la linguistique moderne, et Alexander von Humboldt (1769-1859), géologue, climatologue et grand explorateur, père de la géographie contemporaine, dont tout le monde sait qu'ils étaient frères non seulement dans la vie mais dans la pensée aussi, tous deux proches des théories kantiennes de la « forme interne » (*inner Form*) et des thèses hégéliennes sur l'« énergie » et le « dynamisme » (*Energeïa* et *Dunamis*), sont en réalité une seule et même personne : l'auteur de *L'introduction à l'Œuvre sur le Kavi* et celui de *Kosmos ou Description physique du monde* seraient un seul et même homme à la double personnalité qui lui permit de comprendre, mieux que personne avant lui, qu'on « voyage » dans le langage et qu'on « parle » de la terre dans les mêmes termes et avec les mêmes principes, selon lesquels les îles Oualétéennes et les îles Aléoutiennes, par exemple, répondent les unes des autres ou les unes aux autres exactement comme le mot *et* répond du mot *ou* et le *je* répond au *tu*, par la seule force énergétique de la forme interne du monde et du langage qui non seulement s'appellent mutuellement mais appellent en eux tout ce qui s'oppose et qui s'épouse, tout ce qui s'attire et se repousse.

C'est le même principe qui veut que Pierre Ouellet soit aussi poète et romancier, auteur d'œuvres qu'on ne peut classer parce que tout en elles paraît mélangé, raison et déraison, les sens avec les sons, les idées les plus

---

pauvres et les plus grandes folies, comme en témoigne son dernier roman, *Still*, sous-titré *Tirs groupés*, où Philocrate Bé est représenté en détective privé qui part à la recherche d'une partie perdue de ses pensées, de son esprit ou de sa cervelle, que lui a emportés une brusque et irréparable amnésie, autrement dit une balle dans l'occiput, pour éviter tout euphémisme, et que c'est comme s'il s'était mis à la recherche d'une côte qu'on lui aurait arrachée il y a longtemps, un jour qui se perd dans la nuit des temps, pour en faire une femme à ses côtés, qui aurait dû l'accompagner jusqu'à la fin de ses jours, dans une espèce de paradis sur terre, alors qu'elle le fuit et le poursuit depuis des années dans cette espèce d'enfer qu'est devenue sa vie, d'un bout à l'autre de l'Amérique qu'il traverse puis retraverse de long en large comme l'Achéron, dans un voyage qui lui sera fatal et, on peut le dire sans trop se tromper, dans un langage qui nous sera fatal à nous, comme il l'a été au narrateur qui à la fin se prend pour son frère ou son demi-frère, son frère de sens, en tout cas, comme on dit « frère de sang ». Dans *Légende dorée*, le roman précédent, qui a reçu le Prix de l'Académie des Arts et des Lettres du Québec on ne sait trop pourquoi ni comment, le même Philocrate Bé prend les traits d'un écrivain dissident, appelé Pierre Ovide ou P. O., qui part en guerre contre Dieu et le monde entier, contre lui-même par-dessus tout, avec une langue trempée dans le fiel et dans la poix, dont il fallait la folle érudition de P. Bé (la folie savante, devrais-je dire, du philologue explorateur) pour comprendre que le magma verbal qu'elle n'a pas manqué de provoquer dans le monde avait pour but ultime de nous faire entendre en marche inverse le Big Bang originel que toutes les langues de l'univers ont enregistré depuis la nuit de l'Histoire et qu'à la fin de notre écoute on puisse saisir l'infime silence d'où tout est venu et qui va nous revenir dans peu de temps... Enfin, dans « L'Avent », l'une des nouvelles de *L'attrait*, où sont recueillies toutes sortes d'histoires en un véritable florilège d'hypothèses invérifiables et de thèses à jamais réfutées sur le langage et la pensée dans leur rapport à l'être et au non-être, le professeur Philocrate Bé se trouve figuré dans la personne du célèbre archéologue fou, Constantin Winckelman (qui n'a jamais été le frère, lui, ni de sens ni de non-sens, du fameux historien de l'art, Johann Joachim Winckelmann, comme on a pu d'abord le croire), dont son double et ami, le photographe-narrateur qui nous en a conservé la mémoire dans ses nombreuses images et ses poignants récits, nous montre et nous dit à longueur de pages et de clichés que c'est un personnage proprement infréquentable... autrement qu'en rêve ou en pensée. *(N.D.É.)*

La négresse verte

Anne Legault

NOTE DU TRANSCRIPTEUR : LE DÉBUT DE LA BANDE EST EFFACÉ. IL RESTE ENVIRON DIX MINUTES D'ENTRETIEN SUR LA CASSETTE 1. TOUTE L'ENTREVUE EST MENÉE PAR LA MÊME PERSONNE (UNE VOIX PROBABLEMENT MASCULINE ET JEUNE) ET UNE SEULE RÉPOND AUX QUESTIONS (UNE VOIX FÉMININE ET ÂGÉE). L'ÉCOUTE SIMPLE NE PERMET AUCUN REPÉRAGE DE TEMPS ET D'ESPACE. IL FAUDRAIT PEUT-ÊTRE REPIQUER ET AMPLIFIER LES BRUITS DE FOND. DANS L'ÉTAT ACTUEL DES CHOSES, NOUS NE POUVONS DÉTERMINER S'IL EXISTE DE NOMBREUSES COPIES DE CET ENTRETIEN. NOUS SOMMES EN MESURE D'AFFIRMER, PAR CONTRE, QUE CES CASSETTES SONT DES COPIES ET NON LA BANDE ORIGINALE.

(RIRES.) Oui, bien sûr, bien sûr. (RIRES.) Enfin, il reste que l'esprit humain cherche le sens en toute chose. Il y a même une théorie à l'effet que le cerveau serait conformé ainsi. Cela expliquerait la persistance rétinienne et la surprenante acuité du jeu des cadavres exquis, même les plus banals. (ENVIRON QUATRE MINUTES DE REMOUS AUDIBLE MAIS NON IDENTIFIABLE.)

Revenons à notre sujet, si vous n'y voyez pas d'inconvénient...

Je vous en prie.

Donc, le terrain de la psychose...

Deux, trois générations de névrose familiale la préparent, généralement. Cela se produit couramment, les névrosés se choisissent entre eux, se marient entre eux, engendrent leur descendance pour se prolonger. L'addition finit fatalement par trouver sa somme définitive : la rupture après la fissure.

De quelle façon ?

Trois éléments m'apparaissent indispensables. Premièrement, une mère monstrueuse qui projette sa monstruosité sur l'un de ses enfants, pour mieux s'en départir sans cesser d'en profiter. Deuxièmement, un père absent qui n'assure pas à l'enfant la dimension symbolique du langage. Troisièmement, un enfant précocement intelligent à qui l'on ment, à qui l'on ne répond pas quand il parle, dont on n'écoute pas la voix, ni le silence.

Et vous-même, enfant, vous étiez dans ce cas ?

J'avais tout pour l'être, mais j'ai eu une chance imprévue : mon père est mort avant que je puisse le connaître. Son absence réelle est devenue la présence virtuelle accordée au cher défunt. À défaut de fournir le symbolique, il est devenu le symbole. Ma mère a pu porter ailleurs sa monstruosité : sa situation devenait assez intéressante pour qu'elle s'occupe uniquement d'elle-même.

Comment votre père est-il mort ?

Ma mère l'a tué, bien sûr. Avec beaucoup de sauces au cognac, de plats au beurre noir, de cerises à l'eau-de-vie. Et un peu d'insouciance, parfaitement admissible quand on a l'âge qu'ils avaient, tous les deux. Est-ce qu'on meurt à trente et un an ?

On meurt à tout âge.

Elle l'ignorait, et mon père aussi.

(UN MOMENT DE SILENCE, RUMEURS DE CIRCULATION QUI S'ATTÉNUENT SUBITEMENT, COMME SI ON FERMAIT UNE FENÊTRE.)

Cette mort a été la plus grande épreuve de ma vie, intolérable au point que je n'en ai aucun souvenir. Sans ce deuil, jamais je ne serais passée par la psychanalyse, jamais je ne serais devenue psychanalyste. Aujourd'hui, j'aime à penser que ce sacrifice d'une vie humaine fauchée dans la fleur de l'âge est advenu pour me sauver. Pour que ma mère vive sa vie et que je porte un chagrin qui n'était qu'à moi, surgi comme un jet de lave du centre de la terre pour colmater la fissure familiale. Un don du ciel, ou de l'enfer, comme vous voudrez.

(ENVIRON TROIS SECONDES DE SILENCE.)

Nos collines montérégiennes ne sont que cela, le saviez-vous ? Ces petites montagnes rondes et noires, posées comme des pions sur les plaines grasses de la vallée du Saint-Laurent. Des intrusions de roche ignée, jaillies du magma terrestre, que nous appelons des montagnes, faute d'en posséder de vraies.

Ce sont des collines, en effet.

Surtout pour un étranger, comme vous.

Mais je vous concède que leur masse, même réduite, est saisissante. On la voit de loin. Et du niveau du sol. Ça frappe.

Elles ne devraient pas être là. Voilà ce qu'on ressent confusément en les découvrant, une incongruité du sol. Mais elles sont si paisibles ! Certaines sont des écosystèmes, dotés d'une faune et d'une flore inexistantes dans la plaine qui les entoure. Un accident de la nature, en somme.

Oui... La mort de mon père m'apparaît ainsi : accidentelle, incongrue, dévastatrice... Du feu pétrifié. Un accident géologique qui serait devenu un sanctuaire d'oiseaux. Vous me suivez ?

Oui, tout à fait.

J'ai adoré la randonnée en montagne, je l'ai pratiquée pendant des années. Maintenant, il n'en est plus question, vu l'état de mes jambes... de mon cœur... de mes yeux. Arrêtons-nous ici.

FIN DE LA CASSETTE 1.

DÉBUT DE LA CASSETTE 2.

Alors ? Votre décalage horaire s'estompe ?

Oui, merci.

Ça me chagrine un peu. Votre fatigue me permettait de divaguer. Je sens que vous êtes venu dans un but bien précis.

Vous interroger sur votre vie, tout simplement.

Et il faut faire vite, n'est-ce pas ? Avant que je retourne à la terre.

Je ne dis pas cela.

Ce serait bien le comble ! Enfin, j'aurais mauvaise grâce à vous chercher noise, j'ai accepté de vous confier ma vie. Je ne peux guère faire œuvre de mémorialiste. Je le regrette.

Vous croyez qu'un jour la psychanalyse redeviendra légale ?

Je ne serai pas là pour le voir. Je voudrais vous soutenir par un peu d'optimisme, mais je mentirais.

Votre parole compte déjà beaucoup pour moi.

Parlons, alors. Vous vous questionnez sur la psychanalyse ? La psychanalyse n'est qu'un parcours dans la souffrance. Il n'y a rien d'autre. Ni chapelle, ni science infuse, ni pierre philosophale. J'ai déambulé toute ma vie : dans la lave brûlante d'abord, puis dans des gravats volcaniques, puis à flanc de montagne, puis sur un coteau luxuriant de nature. Je ne vous convaincs pas, je le sens bien.

Je n'ai pas à être convaincu de quoi que ce soit.

Ne prenez pas ce ton avec moi. Je ne suis pas en analyse, vous n'êtes pas mon analyste.

Quel ton ?

Le ton désincarné de l'écoute. La voix neutre du récepteur, du réceptacle sans visage. De toute façon, vous êtes dans mon champ de regard : je vous vois et vous me voyez.

Vous êtes grognon.

Vous avez raison. Excusez-moi. Nous serions encore dans la légalité, vous n'auriez pas besoin de supporter la mauvaise humeur d'une malade. Vous seriez supervisé, vous passeriez par l'analyse didactique. Effacez cela. Revenons au début de la cassette.

C'est votre décision.

(ICI, IL SEMBLE QU'IL Y AIT EU UN MALENTENDU, LA CASSETTE A ÉTÉ AVANCÉE PLUTÔT QUE RECULÉE. CE DÉBUT A DONC ÉTÉ CONSERVÉ ET ENVIRON CINQ MINUTES DE BANDE SONT VIERGES À LA SUITE.)

(SUITE DE LA BANDE.)

Cassette 2. Oui, c'est notre second entretien.

Aurons-nous beaucoup à dire ? Il est difficile de se raconter. J'ai perdu l'habitude de parler sans restriction. Ma fin prochaine me fait souffrir, en plus.

Parlons des autres.

Parlons du premier.

Le premier ?

Mon premier analysant. Il m'avait été envoyé par mon analyste superviseur, à la fin de ma médecine.

Vous étiez d'abord un médecin ?

Je soigne. J'essaie de vaincre la maladie. Je le dis au présent, c'est plus fort que moi. Attendez, arrêtez.

(BRUITS CONFUS, UNE RESPIRATION SIFFLANTE ET OPPRESSÉE, DES HALÈTEMENTS DE DOULEUR. LE QUESTIONNEUR N'A PAS ARRÊTÉ LA MACHINE.)

Le matin comporte toujours certains moments pénibles, désolée. Remettez en marche. Il s'appelait Philocrate Bé.

Qui ?

Mon premier analysant. C'était un tout jeune homme. Philocrate Bé. Vous n'avez pas appuyé sur le bouton. Il faut pourtant savoir comment manier ces engins, mon cher !

(L'ENREGISTREMENT STOPPE ICI, PUIS REPREND APRÈS UN BRUIT PARASITE.)

SUITE DE LA CASSETTE 2.

Philocrate Bé. Un cas intéressant, atypique, même pour un psychanalyste. Un jeune homme plutôt réservé. Je prenais les notes d'usage lors de l'entretien préliminaire, je me demandais bien ce qui me l'amenait. Il tournait autour du pot.

Assez courant, non ?

Ne m'interrompez pas. Il tournait autour du pot, au pied de la lettre ! Debout, tout en m'accordant le moins d'attention possible, en répondant par monosyllabes, il circulait autour d'un réséda en pot qui m'avait été donné par un ami, en guise de plante décorative pour mon bureau tout neuf. Il a fini par ne plus y tenir, il a arraché une feuille et l'a longuement mâchouillée. Puis une seconde feuille, puis une troisième.

Monomanie ?

J'ai d'abord cru à un reliquat d'autisme infantile. Certains enfants autistes adorent les végétaux, parfois ils vont jusqu'à les manger. La vie des plantes les charme, qui sait ? Enfin, Philocrate Bé, lui, était un adulte. Heureux hasard, le réséda possède des propriétés calmantes, cela lui a procuré une détente et l'a incliné à répondre plus précisément, quoique sans rien livrer. J'ai convenu néanmoins de le prendre en analyse, nous nous sommes mis d'accord sur le tarif. Dans ma grande naïveté, je croyais que je tenais la clé de son cas.

La clé ?

Un cliché qui a la vie dure dans notre métier : tout est dit dès la première rencontre, l'essentiel y est, il suffit que l'analysant le découvre de lui-même... Sottises ! Rien n'est si simple.

Et pour vous, à la fin de cette première rencontre, quelle était la clé ?

Son nom ! Son foutu nom ! Vous en connaissez beaucoup, vous, des Philocrate Bé ? Ça vous plairait de porter un matricule pareil ?

Le nom donné par les parents est un élément constituant dès le départ, évidemment.

La marque du désir, rien de moins. Ce que l'on veut, on le nomme. Les enfants qu'on tarde à nommer meurent au berceau plus souvent que les autres. Vous le remarquerez, vous aussi. Et les noms de famille composés ! Une assez jolie chausse-trappe de la névrose, selon moi. C'est de l'ordre de la guerre :

cet enfant m'appartient à moi autant qu'à toi, et cela doit être écrit sur son front.

What's in a name, disait Juliette.

Tout juste. Shakespeare le savait déjà.

Revenons-en à Philocrate Bé.

Il mangeait les feuilles des arbres et des plantes. C'était là son problème, du moins celui qu'il concédait.

Et son patronyme vous intriguait ?

Pas que le patronyme, le nom au complet. Philocrate Bé ! Philocrate : de *philo* : « amour » et *kratos :* « force, puissance, pouvoir ». L'amour du pouvoir, excusez du peu. En guise d'appendice, le nom de famille le plus avorton que j'aie entendu de ma vie : Bé ! Bééé ! Le bêlement pur et simple. Cet homme portait un nom qui commençait comme un programme de parti politique et se terminait dans le cri du mouton. Bééé !

On peut être bouche bée, dans la béance, la béatitude...

Lui n'avait rien de béant, je vous le jure. Fermé comme une huître. Avec un je ne sais quoi d'ovin dans la figure. L'arête du nez, longue et courbe en son bout, mais large. Le front haut, mais étroit. Un bouc de montagne. Un bouquetin. Et brouteur, par-dessus le marché.

Cela m'amène tout de suite à une question plus générale : quel sentiment un analyste doit-il éprouver pour un analysant ?

Ah ! Pourquoi me demandez-vous cela ?

Manifestement, vous ne l'aimiez pas, ce Philocrate Bé.

Pas d'emblée. L'amour, ou toute autre forme de sympathie, n'entre pas en ligne de compte, je ne vous apprends rien, j'espère. Il y a la demande d'un individu souffrant et l'acceptation d'un autre individu d'écouter cette souffrance sans intervenir, de la laisser se dévider, de devenir l'écran, le témoin, la chambre d'échos. L'inconscient est à ce prix. Seul le langage peut y pratiquer une brèche, par ce processus délicat qu'on nomme le transfert. On n'y parvient qu'en parlant. Or, la parole n'existe que pour un autre. Aucun sentiment, donc ! La parole, l'écoute.

Aucun sentiment ?

Pas au préalable. Le sentiment peut venir par la suite, dans certains cas on s'attache à des individus. Mais ils ne doivent jamais le savoir. Pas plus qu'ils ne doivent savoir l'antipathie qu'ils peuvent susciter. D'ailleurs, n'utilisez pas le terme « sentiment » ; c'est de la littérature, le sentiment. Parlez d'affect. C'est plus propre.

Parlons d'affect. Que se passe-t-il en cas d'affect négatif ?

Confronté à tout affect, l'analyste doit se rappeler que l'analysant est un être qui souffre.

Et on peut souffrir de mâchouiller des feuilles ?

C'est l'indice d'une souffrance. Dans le cas de Philocrate, il en souffrait. De se sentir possédé par cette manie qu'il ne pouvait contrôler lui empoisonnait l'existence. J'ai donc convenu de commencer une analyse avec lui.

Et la première séance ?

Rien. Je lui donne les consignes, je lui dis étendez-vous, dites tout simplement tout ce qui vous passe par la tête, rien ne doit être tu. Il se tait.

Ah !

Après un silence, il me demande : Ne pourriez-vous vous installer devant moi, même sans me regarder, qu'au moins je puisse vous voir ?

Bien sûr.

Je refuse et je lui indique que mon absence physique de son champ de vision est essentielle, que c'est ainsi qu'il arrivera à tout dire. Il répète, le souffle court et la voix cassée : Tout dire ? Je réponds : oui, tout dire. Et je précise, pour bien enfoncer le couteau dans la plaie : vous direz tout, et moi, rien.

(SILENCE DE SIX SECONDES SUR LA BANDE. ON ENTEND LES DEUX RESPIRATIONS.)

Et alors ?

Et alors, il explose : Hostie de chienne sale de calice de trou de cuse roulée dans la chiure de ta mère, pour qui tu te prends ? Calice de suceuse ! Face-de-rat mal baisée ! Tu te figures que je vais tout dire ! Si c'est moé qui paye, c'est toé qui parles, c'est clair, ça ?

Évidemment, je ne réponds rien.

Évidemment.

Je commençais à saisir l'ampleur de son cas : en plus d'ingérer du vert par broutage, il en éructait, par la langue verte !

Vous en avez reproduit un magnifique échantillon.

Je pourrai l'entendre toute ma vie, jusqu'à mon dernier souffle ! Une rage assassine. Et cette colère bleue, si j'ose m'exprimer ainsi, ne s'est terminée qu'à la fin de la séance, lorsque j'y ai mis fin par la phrase habituelle : Arrêtons là pour aujourd'hui.

Et il a payé ?

Rubis sur l'ongle. Avec de jolis billets craquants. Et verts, des coupures de vingt. Je l'ai senti soulagé : en me payant, il a levé les yeux vers moi. Pour la première fois, j'ai vu leur couleur, un noir assez glauque, où on ne pouvait distinguer la pupille. Un regard de bouc, indubitablement.

Maintenant, je vais vous l'avouer : l'antipathie que j'avais éprouvée à son premier contact me taraudait un peu.

Ah !

Oui, c'est une question de débutant : que faire avec un analysant antipathique ? Eh bien, je vous le donne en mille : sa rage à mon endroit m'avait libérée de toute forme d'affect. Les analysants nous rendent ce service, l'affect est leur privilège. Nos affects à nous ne tiennent pas le coup devant eux.

(BRUIT D'UN OBJET QU'ON RENVERSE. CRI DE DOULEUR.)

J'ai très mal. Si vous pouviez me trouver des analgésiques sur le marché noir, j'apprécierais.

FIN DE LA CASSETTE 2.

DÉBUT DE LA CASSETTE 3.

Bonjour. Comment vous portez-vous, aujourd'hui ?

À merveille ! Grâce à vos merveilleux somnifères, une véritable panacée ! Savez-vous la marque ?

Non. Le revendeur lui-même n'en savait rien, il me les a glissés dans un mouchoir.

Bien sûr. Enfin, je ne bouderai pas ma joie. Quelle nuit de sommeil je vous dois ! J'ai rêvé comme une jeune fille. Il est agréable de rêver, si près de la fin. Je suis sortie de mon vieux corps, une sorte de répétition générale.

Tout se passait bien ?

Oui. Revenons à Philocrate Bééée.

Vous bêlez très bien.

Ça m'amuse. C'est à tort, croyez-moi, qu'on associe le mouton à la douceur. Le bêlement est un cri à l'équivalent du feulement, et je ne souhaite à personne une morsure de mouton... Soyons sérieux maintenant. Séance après séance, Philocrate avançait très peu. Il voulait savoir pourquoi il broutait, il n'y avait que ça qui le motivait. Il avait du mal à associer librement, à se laisser aller. Chacune de mes interventions, si ténue soit-elle, m'attirait une bordée d'insultes, proférées dans un vocabulaire que je vous épargne. Le temps passait, les mois, une année. Avec le temps, je me montais une clientèle, mon bureau ne désemplissait pas : *words, words, words...* Mes plantes vertes prospéraient, fertilisées par tout ce gaz carbonique qui s'exhalait dans le petit espace de mon bureau. C'était la belle époque : tous ces gens qui ne voulaient pas souffrir et tout cet argent qu'ils étaient prêts à payer ! L'argent des nouveaux riches qui s'étalait partout, à flots !

Et avec Philocrate ? Rien n'avançait. À votre avis, pourquoi ?

J'ai fini par lui poser la question.

Il y a répondu ?

Oh, oui. Cette réponse me restera en mémoire jusqu'à la fin aussi. Il a fait une longue pause et a lancé : « Je n'avance pas parce que vous ne m'aimez pas. J'ai bien vu dès le départ que vous me trouviez laid, que mon nom vous faisait rigoler, que ma maladie vous semblait ridicule. »

Une projection de sa part.

Oui, mais juste ! Et juste ou pas, on s'en fout. L'essentiel était qu'il projetait, n'est-ce pas ? La projection, c'est la voie royale du transfert. Le transfert, c'est la blessure initiale percée à jour. La blessure qui s'assume, c'est l'analyse qui trouve son sens ! Et là, je comprends que je n'ai pas le droit de me tromper, que la veine de cette mine est à ma portée, que je dois taper au bon endroit pour la faire jaillir. C'est alors que m'est revenu à l'esprit ce que tous nos maîtres nous répètent : savoir écouter, d'abord, mais au delà de l'écoute, *entendre* ! Et qu'est-ce que j'entendais ?

(SILENCE. UN BRUIT DE FOND DE CIRCULATION ASSEZ DENSE.)

J'entendais le mot maladie ! Ce type se voyait comme un malade. Il n'avait pas dit souffrance, ou manie, ou tic, ou que sais-je ! Il avait parlé de sa maladie. Je reprends, de la voix la plus blanche possible : « Maladie ? Vous êtes malade, vous ? » Et il murmure : « Je voudrais tant que ce soit une maladie. Ce serait plus supportable. » Pour la première fois, aucun gros mot à mon endroit ! J'aurais donné cher pour voir ses yeux.

Mais vous étiez en pleine séance, il était hors de question qu'il vous voie.

Comme j'ai compris, à cet instant, l'utilité de cette règle ! Car Philocrate, à ce moment précis, m'entendait comme je l'entendais, comme jamais il n'aurait pu m'entendre s'il m'avait vue. Je lui demande : « Pourquoi confieriez-vous toutes vos pensées à quelqu'un qui ne vous aimerait pas ? » Il rétorque, à la seconde même : « Parce que j'aime vous injurier. Je vous sens verdir sous l'insulte. C'est très agréable. »

Et alors ?

Alors, j'ai choisi de frapper. J'ai laissé quelques secondes de silence, pour prendre mon élan, et j'ai dit : « Vous oubliez que je suis de race noire. Sur le plan strictement épidermique, je ne peux pas verdir. »

Et alors ?

Il a éclaté en sanglots : « Tu es méchante, tu es méchante, il faut que tu sois verte... »

Mais il savait que vous étiez noire, il vous voyait au début et à la fin des séances ?

Mais justement, parce qu'il ne me voyait pas pendant la séance, je devenais une autre, une femme verte sur laquelle il crachait son fiel.

Vous avez détruit cette illusion ?

Détruire est un grand mot, illusion également. J'ai un peu malmené ses images mentales. Quelquefois, on en arrive à ça. Il a pleuré tout son soûl. J'attendais en silence. Il a fini par hoqueter : « Mais qu'est-ce que j'ai ? Qu'est-ce que j'ai ? » C'était une supplication bien plus qu'une question. J'ai saisi la balle au bond : « Vous êtes viridiaire, atteint de viridiarisme chronique. »

Qu'est-ce que c'est que ça, le viridiarisme ?

Un amour excessif du verdoyant, mon cher. Une obsession du vert sous toutes ses formes. Je lui ai suggéré de modifier son alimentation pour accorder ses goûts à sa santé. Il répétait, complètement ravi : « Viridiaire, je suis viridiaire... »

Il suffisait de nommer son mal, en somme. Nommer, c'est connaître.

Exact. La connaissance soulage, à défaut de guérir. Celui-là, nanti d'une maladie dûment identifiée, il est sorti de mon bureau guéri, j'ose l'affirmer. Je ne l'ai plus jamais revu. Vous savez ce qu'il est devenu, sûrement ?

Un environnementaliste notoire, je crois ?

Un peu trop sectaire à mon goût. Mais enfin, viridiaire il était, viridiaire il est resté.

Y a-t-il beaucoup d'études sur les viridiaires ?

Aucune. J'ai inventé le mot.

(CINQ SECONDES DE SILENCE.)

Ce n'est pas très orthodoxe.

C'est une hérésie pure et simple, oui ! Mais je n'en pouvais plus de ces injures qui se déversaient sur moi. C'était ça, ou le contre-transfert.

Le contre-tranfert ?

Le transfert de l'analyste. Nous aussi, nous transférons, mon cher ! On n'est pas faits de bois.

Pas même de bois vert.

(RIRES.)

Fin de la cassette 3.

Début de la cassette 4.

Ce sera notre dernier entretien. Je crois que j'ai été repéré.

Vous m'en voyez navrée. Au moins vous repartez avec quelques notions. Il y en a une dernière que je vous crois prêt à recevoir et que vous pourrez sans doute pousser plus avant. Cela concerne l'Inconscient. L'Inconscient est la partie étanche de l'appareil psychique, cette notion ne se discute pas, seul le rêve peut donner une idée de son contenu, cependant...

(ICI, LA CASSETTE PRODUIT DES BRUITS PARASITES PENDANT ENVIRON UN QUART D'HEURE. IL EST IMPOSSIBLE DE DÉTERMINER

S'IL S'AGIT D'UN DÉFAUT DE LA COPIE OU DE LA BANDE ORIGINALE.)

(RIRES.)

J'ai cherché un cadeau, j'espère que ceci vous sera agréable.

(QUELQUES BRUITS PARASITES. DU PAPIER QUE L'ON FROISSE.)

Ah, quelle folie ! Vous n'auriez pas dû !

Ça vous plaît ?

Quelle question ! Du vin ! C'est bien du vin ?

Oui. Sans étiquette, c'est probablement un vin très jeune, qui n'a pas maturé. Il devrait vieillir en cave, mais...

Mais le temps m'est compté pour le boire. Qu'importe qu'il soit vert ? Voilà une honnête négresse !

Pardon ?

C'est le nom qu'on donnait autrefois aux bouteilles de vin rouge sans marque : des négresses. À la vôtre, mon cher ami, et soyez béni d'avoir adouci mon agonie avec cette négresse verte.

FIN DE LA CASSETTE 4.

NOTE DU TRANSCRIPTEUR : LE TOUT SERA ACHEMINÉ AUX ENQUÊTES EN COURS DE LA POLICE DES DOCUMENTS, SECTION VOCALE. L'ÉTRANGER A ÉTÉ IDENTIFIÉ MAIS SE TROUVE TOUJOURS EN LIBERTÉ. LA NÉGRESSE VERTE A ÉTÉ PLUS DIFFICILE À REPÉRER, ELLE NE FIGURAIT PAS AU FICHIER DES ANALYSTES CLANDESTINS. ELLE AVAIT TOTALEMENT ABANDONNÉ LA PSYCHANALYSE ET FAISAIT DES MÉNAGES. ELLE EST MORTE DEPUIS MAINTENANT CINQ ANS.

Les évigures

Sylvie Massicotte

À cette heure-ci, ce ne peut être qu'elle. Les phares de sa voiture balaient mes plates-bandes avant de s'éteindre. Elle va descendre avec sa petite valise. Bientôt, elle chialera, échappera le nom de Philo entre ses lèvres inondées et pas belles à voir, elle se recroquevillera sur le canapé en refusant ma couverture angora dans laquelle elle finira par se blottir. Demain matin, elle l'aura repliée avant de disparaître. C'est qu'ils seront repartis pour la gloire, elle et Philocrate.

Elle met du temps à sortir de l'auto. Elle attend je ne sais quoi, la portière ouverte. Elle hume les pivoines, prend encore tout ce que j'ai. C'est parti. Elle s'est enfin décidée à descendre, à marcher vers le coffre arrière, lentement, comme une vieille femme. Philocrate a toujours préféré les jeunes.

Elle ouvre le coffre, soulève difficilement sa valise plus grosse, vraiment plus grosse qu'à l'accoutumée. Mon horaire des prochains jours vient de s'effacer complètement de ma mémoire. Qu'est-ce que je vais lui dire pour ne pas qu'elle m'accapare ? Cette fois-ci, je le crains, c'est un cas de chambre d'amis. Si je la lui offre, j'en aurai pour des semaines... Est-elle seulement une amie ?

« Je ne savais plus de quoi il causait », souffle-t-elle sur le seuil en déposant son bagage encombrant.

A-t-elle parlé pour moi ou uniquement pour elle ? De quoi il cause, Philocrate Bé, quelqu'un l'a-t-il déjà su...

« Je peux ? demande-t-elle avant de passer à la salle de bains.

– Bien sûr », je réponds, en ajoutant pour moi-même un « vas-y, tant qu'à faire ».

J'entends couler l'eau. Longtemps, l'eau qui coule. Elle doit éponger ses yeux rougis, c'est ce que je me dis en allumant une cigarette, en regardant l'heure et en me rappelant que j'ai réunion demain après-midi. Je comptais sur la matinée pour revoir le dossier. Comment ai-je pu oublier cela, ne serait-ce qu'une fraction de seconde ? Quand madame débarque...

Elle sort. Le visage défait, plus qu'à l'habitude. Je lui offre un café. Elle hésite avant d'accepter, et ce n'est pas par politesse. Jamais. Elle se demande peut-être si de toute façon elle réussira à dormir. J'en prépare deux. Cette fois, nous ne dormirons pas. Ni l'une ni l'autre. Parce que cette fois, c'est la vraie. Philocrate et elle... terminé. C'est évident. Cette détermination dans le regard. Et puis elle a raison, cela ne pouvait plus durer pour elle. Pour lui. Pour moi non plus, tiens.

« Tiens », je dis, en plaquant sa tasse sur la table de verre. Mon geste était brusque, sans aucun doute, assez pour qu'elle sursaute, lève la tête vers moi.

« Tu es furieuse aussi... déduit-elle. Quel homme infernal, vraiment. »

Je fais signe que oui, Philocrate est infernal. Elle m'interroge en silence. Comment le sais-je ? Mais tout le monde le sait, pauvre idiote ! Ton petit Philo, tu ne te rends pas compte.

« Tous ses discours... marmonne-t-elle avant de se brûler les lèvres avec la première gorgée de café. Rien que des mots ! »

Je dis « Ah ! » en haussant les épaules. Philocrate et les mots. Innocente.

Elle me scrute en soufflant au-dessus de sa tasse brûlante. Ses yeux ne me quittent plus. Elle se rend compte que je n'ai pas pitié d'elle. Pour la première fois, on dirait qu'elle peut lire en moi. Je bois et me brûle aussi.

« Il t'a aimée, lâche-t-elle.

– Je n'ai jamais donné suite.

– Pourquoi ?

– Les mots... »

C'est le moment. Je savais que le jour viendrait où je pourrais oser demander à quelqu'un. Quelqu'un qui saurait. Il n'y a qu'elle.

« Évigures, je lance. Qu'est-ce qu'il voulait dire par *évigures* ?

– Évigures... » marmonne-t-elle en buvant.

Elle fait du bruit quand elle boit. Quand elle mange aussi, je me souviens. Cela doit terriblement énerver Philocrate quand il cherche. Elle prend son temps. Ses yeux se posent sur la cafetière, puis sur le robot, les ustensiles suspendus et enfin sur les cartes postales collées au frigo.

« Évigures ! je crie en ayant envie de la secouer.

– Est-ce que je sais, moi !

– Oui, tu sais sûrement ce qu'il entendait par évigures...

– Il me faut le contexte. »

Salope. C'est le contexte qui t'intéresse. Si je me lève, si je marche jusqu'à ma chambre, si je me dirige vers la vieille armoire et que j'en sors le coffret de cèdre, que je l'ouvre même si je ne suis pas en plein déménagement, c'est que c'est le moment.

Je sors la lettre. Mon nom, mon adresse de jeune fille qui figurent sur l'enveloppe. Le contexte, le contexte... Elle n'a besoin que d'une phrase. Je plie la feuille comme pour jouer au cadavre exquis. Je la rejoins à la cuisine. Ses yeux brillent de curiosité. Je pointe :

« Évigures, là : ... *comprendre toutes ces évigures qui nous entourent avant de pouvoir vivre donnéreusement.*

– Où est-ce que tu vois ça ? Ici ? Évigures ?... »

Les commissures de ses lèvres, qui pointaient vers le bas depuis son arrivée, semblent remonter légèrement. Ma foi, elle sourit.

« Cela t'amuse ?

– Non, assure-t-elle. Seulement, ce n'est pas un *v*, c'est plutôt un *n*. Et puis là, ce n'est pas un *u* avec un *r*, c'est un *m*. *Énigmes* ! »

Je lui arrache la feuille et je lis. Elle a raison. La vache, elle a raison. Énigmes... *comprendre toutes ces énigmes qui nous entourent avant de pouvoir vivre donnéreusement.* J'ai porté malgré moi la lettre à ma poitrine. Elle m'a vue. Elle renverse la tête et avale son café d'un seul trait.

« Mais... *vivre donnéreusement*, s'enquiert-elle d'une voix enrouée, cela ne te posait pas problème ?

– Pas du tout. »

Elle dépose lentement sa tasse vide sur la table. Se lève. Sans me regarder, elle avance vers son immense valise, la soulève et sort. Je marche derrière elle qui s'impatiente avec le bagage bringuebalant sur les marches.

« *Vivre donnéreusement*... répète-t-elle. Je n'ai pas su. »

Elle s'approche de l'auto, s'arrête près du coffre. Sa silhouette immobile dans l'obscurité.

« Je l'ai tué », avoue-t-elle.

Éléments préliminaires à l'établissement de la biographie de Philocrate Bé

Gilles Pellerin

Il n'y a rien qui n'ait été dit à propos de Philocrate Bé, et pourtant rien n'a été dit[1]. Des turpitudes qu'on lui a malicieusement attribuées, en propageant veulement et goulûment récits et assertions murmurés sur le ton de la délation, beaucoup se sont régalés. Mais qu'avait-on écrit ou consigné sur la vie, la carrière et l'œuvre d'un des plus éminents chercheurs de ce siècle, jusqu'à ce qu'une douzaine d'écrivains, qu'au nom de la science et de la vérité je ne saurais assez remercier, n'aient été ici rassemblés ? Pas grand-chose à vrai dire, ce qui laissait le champ libre à ceux qui font leurs choux gras de l'imprécision parce qu'elle dissimule leur incurie, quand elle ne résulte pas de motifs moins avouables encore.

Enfin disposons-nous, grâce aux documents et témoignages divers dont vous venez de prendre connaissance, d'une matière inestimable et féconde. La patience dont nous sommes si nombreux à avoir fait preuve trouve enfin son accomplissement et

1. Par déférence, le biographe place son incipit en écho à celui de la conférence que nous a aimablement transmise Pierre Ouellet (*supra*, p. 125).

sa justification : justice est désormais rendue, fût-ce au prix de la mise à jour d'éléments biographiques que d'aucuns pourraient juger peu flatteurs, voire incriminants. Un homme est le résultat de ses faiblesses et de ses erreurs, autant que de ses faits d'armes, de sa hauteur intellectuelle et de sa force morale. Nul thuriféraire ne pouvait être admis dans ce livre, chacun peut maintenant en être convaincu. La complaisance est l'ennemie de l'admiration pure et sincère.

Philocrate Bé aura vécu dans cette époque avec, enfouie en lui, mais prête à jaillir, la nostalgie des âges anciens. Par égard pour cette nostalgie, il serait aisé de s'écrier *ex cathedra* que jamais biographe ne s'est trouvé en présence d'un personnage aussi énigmatique que celui dont il est chargé aujourd'hui de présenter au public le portrait tant attendu, même si le recoupement des témoignages plus tôt présentés peut aboutir à des contradictions. J'attache néanmoins la plus haute importance à la spontanéité de certaines confidences (bien qu'elles mettent les sujets littéralement à nu), au détail saisi dans l'affolement usuel des travaux et des jours, à l'expression de sentiments intimes (notamment en ce qui a trait à ses rapports avec les femmes, dont on découvre maintenant à quel point elles ont été présentes dans sa vie), aux remises en question d'éléments que l'on croyait indiscutables dans la connaissance du complexe parcours intellectuel de ce héraut moderne. Nous avions tous conscience de la nature empirique et préliminaire de notre entreprise. Nous partions de loin, de presque rien[2] – je le répète ; nous ne souhaitons rien tant que la correction éventuelle de données biographiques qui font pour le moment autorité. Peut-être sera-t-il un jour confirmé que Bé a été

2. Le premier tome des *Œuvres complètes* n'est sous ce rapport d'aucun recours.

assassiné par une maîtresse aigrie. Je crois pouvoir dire que nous souhaitons le voir se remettre des problèmes de santé que nous lui avons récemment connus et démentir lui-même la triste rumeur.

* * *

Que jamais l'on n'ait songé à consacrer un ouvrage à Philocrate Bé et à réunir des textes le concernant est sans doute plus éloquent que n'auraient su l'être les miscellanées que lui auraient offertes ses collègues de faculté. D'eux il ne pouvait rien attendre. (Il est déjà extraordinaire que le professeur Pierre Ouellet, de l'UQÀM, se soit lancé dans la périlleuse réunion de l'œuvre complet.) La responsabilité lui en incombe en partie : sa vie durant il s'est entouré de chausse-trappes, il a multiplié ce que l'honnêteté recommande d'appeler mystifications et ambiguïtés. Cela ne saurait servir de réponse unique et définitive : tout chez Bé dérangeait la digne confrérie chercheuse : la fréquence de ses découvertes, la qualité de son apport aux sciences (le pluriel est indispensable) du langage et à la muséologie, son attitude désinvolte en société, son mépris pour les palmes académiques, le succès dont il jouissait en classe et dans son bureau. Un confrère lui prêtait-il des attitudes épistémologiquement suspectes dans le but de le discréditer que ses mensonges mêmes étaient reçus par son interlocuteur comme de nouveaux exploits, scabreux et insupportables. Que tant de villes – mais aucune de chez nous – revendiquent sa naissance, comme l'a écrit le professeur Vincent Engel, de Louvain-la-Neuve, suffira à établir qu'il a été lui aussi victime du syndrome de Félix[3]. Dieu merci, l'Europe est moins

3. Du nom d'un chansonnier né en Haute-Mauricie à qui il avait fallu conquérir la France pour que sa valeur fût reconnue dans son propre pays.

bégueule, l'on y sait encore séparer qualité de la recherche et frasques du chercheur – du *découvreur*, voilà essentiellement le fond du problème. Notre homme n'arrangeait pas son cas[4] en s'inscrivant au recensement comme « découvreur de mots », là où il eût été de bon ton d'écrire « professeur ».

Là où la plupart (et c'est le cas, nous en devons l'aveu, des présentes prolégomènes biographiques) se contentent d'hypothèses, d'aperçus, de notes de recherche, Philocrate Bé produisait[5] des faits, alignait dans des glossaires de pleines pages de mots. Cela en ne négligeant jamais le volet de sa carrière consacré à l'enseignement, à la transmission de son inépuisable savoir. Il a pulvérisé le cliché en vertu duquel les bons chercheurs sont ineptes pédagogiquement[6]. Il apportait en classe « cette vénération du dire, du savamment décrit » dont une de ses compagnes faisait plus tôt les louanges (*supra*, p. 108). Ajoutons au panégyrique la précision extraordinaire dont il faisait preuve, dans une syntaxe exquise, qualités indispensables quand l'on considère qu'il donnait ses cours face au tableau, sans jamais se retourner, n'exposant que son dos et sa nuque. Plusieurs auditeurs libres, inscrits année après année à ses cours et conférences, auront suivi avec attendrissement l'apparition d'une splendide et monacale tonsure. Malheur à qui s'avisait

---

4. La contribution de Nicolas Dickner au présent ouvrage confirme l'existence d'un *cas Bé*. Pour qu'on ne les comprenne pas quand ils y faisaient allusion dans les corridors de l'université, ses collègues parlaient plutôt de *KB*. C'est ainsi qu'ils ont pu agir impunément pendant toutes ces années.
5. Qu'on ne lise pas dans l'usage de l'imparfait le signe que nous nous résignons à la mort de Bé ou à son improbable retraite. Nous traçons seulement *hic et nunc* un bilan de la vie et de la carrière de l'excellent homme.
6. Derrière tout cliché il est toutefois possible de lire une vérité profonde, enseignait Bé. De fait, en inversant l'énoncé, on se rend compte que ceux qui sont ineptes pédagogiquement ne sont pas forcément de bons chercheurs.

de profiter de sa position afin de lui lancer des boules de papier en guise de protestation pour la si rapide dictée de ses notes de cours ! Il s'exposait à la vindicte d'une armée d'authentiques zélotes, certains ayant atteint l'âge de la retraite sans avoir trouvé la force de s'arracher à son enseignement.

On se rappellera peut-être le passage en nos murs, il y a quelques années, d'un groupe rock célèbre et chenu, au terme d'une tournée planétaire riche en succès et en ovations. De partout des nostalgiques s'étaient précipités pour entendre les gosiers égrotants glapir au son des airs sur lesquels jadis ils s'étaient trémoussés. Des contretemps techniques ayant forcé l'annulation du spectacle prévu quelques jours plus tôt à North Passicoe (Massachusetts), le quatuor avait séjourné une pleine semaine au Château F***. Inspirés sans doute par les incomparables paysages qui ceignent la ville, nos rockeurs s'étaient présentés au Palais des Spectacles avec des partitions neuves. Le groupe le plus célèbre de l'univers nous offrait la primeur d'un futur album, la magie d'un travail frais sorti de l'atelier, une musicogonie ; le public attendait plutôt qu'il reproduisît fidèlement ses succès d'autrefois : l'émeute avait éclaté.

Philocrate Bé, que le rock'n'roll n'indisposait pas, hormis les apostrophes, avait eu cette pénétrante remarque : « Ce me serait facile d'ânonner en ahanant, mais bien franfreluquet l'hégirie qui débredinerait donnéreusement le reblateur ! Je préfère les chemins inexplorés sans escompter en retour que la foule s'y engouffre. Je travaille pour le peuple, mais n'attends pas de lui qu'il m'indique la voie à suivre. »

Le malheur est que sur ce terrain les dictionnaires sont tout aussi lents à la détente. Pour qu'y soient ajoutés des néologismes, il faut qu'on retranche autant de mots jugés archaïques[7],

7. L'apport de Claire Martin à ces pages nous est précieux : tels des fantômes, certains mots disparaissent… mais pas tout à fait !

faute de quoi les précieux ouvrages atteindraient des dimensions jugées catastrophiques par d'aucuns. On pense bien à quel point Philocrate Bé, avec ses milliers de trouvailles, gênait les insignes lexicographes roupillant au coin du feu. On ne s'étonnera pas que l'expression « sourd comme un dictionnaire » se soit répandue avec autant d'aisance.

Son habitude, pour nous embarrassante, de jeter ses notes au feu (de son propre aveu, *supra*, p. 25) et de publier dans des revues inconnues du parterre scientifique (au nom de son attachement au terroir où il faisait cueillette, et par défi aux académiciens empanachés de tout acabit) nous prive de données indispensables à la constitution d'une bibliographie digne de ce nom, à partir de laquelle certains érudits pourraient nous devancer dans la reconstitution de ses œuvres. Je ne citerai pour l'heure qu'un exemple du type de contribution sur laquelle les théoriciens aimeraient tant pouvoir compter : déjà adepte de l'antiphrase, il s'est vanté d'avoir commis un article, « Sémiotique et fumisterie », dont chacun a présumé que la conjonction de coordination du titre avait valeur associative, identificatrice, alors que l'intention était au contraire de départager, de dissocier la fumisterie de l'entreprise sémiotique[8]. Philocrate Bé créait de la confusion à loisir, afin de l'étudier. Il se garda bien de rétablir les faits, prenant plaisir à voir ses collègues échafauder théories et cancans sur des bases erronées. « C'est des ânes qu'il faut attendre les plus belles démonstrations épistémologiques. » Pour leur édification, nous ne saurions trop leur

8. Les tirés à part de cet article existent, mais dans le capharnaüm que constituait la bibliothèque personnelle de Bé, il a été impossible de les retrouver et de les produire en preuve. Quand il était à son bureau et qu'il voulait loger un appel, le professeur Bé devait demander à un voisin de couloir de bien vouloir composer son numéro de façon à ce que le téléphone sonne et qu'il puisse ainsi le localiser et le *déterrer* du fouillis de documents de toute nature.

recommander la lecture de la conférence « Les langues *vivantes* » du professeur Bé (*supra*, p. 125-137).

De telles réflexions théoriques ne constituaient qu'un des volets de sa contribution aux sciences du langage. Il transposait volontiers ses découvertes *sur le terrain* dans des glossaires sans lesquels de grands pans de patrimoine oral seraient maintenant disparus. Sa passion des inventaires aurait pu inoculer chez lui cette langueur pusillanime commune à maint chercheur (dont chacun qui s'est lancé dans la rédaction d'une thèse sait qu'elle creuse patiemment un gouffre dont on risque de ne jamais émerger). Il n'en est rien : sitôt un relevé achevé, il se lançait dans un travail de synthèse, sans négliger les obligations de convivialité rapprochée dont il s'estimait redevable auprès de ses informateurs – surtout les informatrices.

Avec quelle aisance il savait déterrer des trésors dialectaux ! Les plans les meilleurs sont souvent les plus simples : il plantait ses banderilles dans des bouis-bouis, il taquinait le mastroquet sans négliger la cafetière sitôt que celui-là avait le dos tourné. Au besoin il laissait entendre que c'est dans les trous perdus qu'on trouve les perles de langage (*supra*, p. 33). L'attente ne durait pas bien longtemps, et que je te passe le vistemboir. Achapté, le bridonnet s'éfidare cralement itasque, c'est le moins qu'on puisse dire dans les circonstances.

* * *

À l'inverse de Borges, qui prétendait avoir connu des malfrats du quartier portègne de Palermo (le toponyme est en soi une garantie), alors que la bibliothèque familiale lui avait en réalité servi de décor quotidien, Bé jouait parfois au grand bourgeois, portant le gilet pour mieux laisser entendre que dans ses quartiers de noblesse il savait tomber la veste – s'encanailler.

C'est probablement en raison de cette nouvelle démonstration d'ambiguïté (j'affecte d'être de la haute pour suggérer des pratiques roturières cachées) que circulent à propos de sa prime enfance les histoires les plus contradictoires. On ne s'entend pas sur le lieu exact de sa naissance. La chronologie même relève de la plus haute fantaisie. Devant toutes les hypothèses et allégations dont nous disposons, pourquoi ne pas croire au témoignage de sa main qui en fait un Mauricien ?

Nous dirons donc : Philocrate Bé a été une figure marquante du XXe siècle. C'est déjà monumental[9]. Importe-t-il tant qu'il soit né en telle année à tel endroit ?

Qu'il se soit comporté comme un guérillero du néologisme (*supra*, p. 39-54) – si ce ne devait être en bout de ligne qu'une métaphore, avouons tout au moins qu'elle serait magnifique ! –, qu'il soit soupçonné d'avoir conseillé Hitler dans l'éradication du peuple juif (*supra*, p. 115-123), qu'il ait prétendu vivre auprès de sa mère parisienne à proximité des jardins du Luxembourg (*supra*, p.102), soit, soit et soit. Il a d'ailleurs été établi que Philocrate a dévoré les bandes dessinées par Lee Falk, *Mandrake* et, surtout, *Le fantôme*. Celui-ci : « l'Esprit-qui-marche », un être qui apparemment se survit à lui-même[10] ; celui-là : un magicien adepte de l'hypnose, capable de vous convaincre que je est un autre. C'est tout notre homme. Avis à ceux qui voudraient nous convaincre de sa mort... définitive. Les fantômes appartiendraient en propre et en exclusivité au monde britannique ? Ceux qui l'ont connu entendront ici résonner le rire raisonnant et homérique de Philocrate, soucieux

9. Ou énorme, c'est selon.
10. Se succèdent de père en fils, dans une forme inédite de parthénogenèse, des générations de justiciers masqués au milieu de la jungle – on est prié de prononcer *jongle*.

de ne rien concéder à Albion[11]. Quoi qu'il en soit, on aura appris ici que les fantômes peuvent revenir sans grande perte de verdeur.

Le noble vieillard est vert, belle leçon de continuité, de persévérance pour un homme qui avait accueilli le diagnostic de viridiarisme chronique en pleurant toutes les larmes de son corps – avant de s'en déclarer ravi. La langue verte n'allait plus avoir le moindre secret pour cet homme dont il est maintenant chose admise qu'il ouvrit un comptoir de rimes à l'âge où l'on s'emploie à offrir, contre cinq cents[12], un verre de limonade aux passants.

Pour l'heure la question des origines importe peu, nous sommes tous d'accord. Il reste que les études de géopsychologie auxquelles s'est livré Bé, en dilettante, tendent à accréditer la thèse de son origine mauricienne. Philocrate serait donc bel et bien né en Haute-Mauricie, dans une famille de récente provenance européenne. L'enfant grandit dans un milieu de saisons redoutablement incertaines, ce qui déteindra sur l'adulte, mais il se forge une volonté hors du commun au contact d'une nature forte et sans rémission. Le pays agit sur sa psyché aussi sûrement que plus tard l'on saura reconnaître que ses recherches et sa vie faisaient corps – d'où les difficultés à établir avec exactitude la biographie. À quelques rues à peine de la maison il se trouve au milieu de nulle part et son imagination fait le reste : toundra, taïga, désert du silence, attaques concertées de maringouins (terme d'origine tupi-guarani, on l'oublie trop souvent). Aujourd'hui, le bouclier laurentien ; demain, les Aléoutiennes et l'Oualétie. Il n'y a qu'à marcher vers l'ouest,

11. Comment ne pas évoquer ici la retentissante algarade qui l'opposa à l'émérite oxfordien Johnsonson – à la défense de qui le docteur Washingtonson (de Stanford) se porta en pure perte !

12. En argent de l'époque.

sans discontinuer. Les Attikameks l'ont bien fait en sens inverse !

* * *

On bute sur le patronyme dès lors que l'on veut remonter plus avant dans le patrilignage. Des compatriotes, auxquels il serait ridicule d'imputer quelque corruption de témoignage que ce soit, pour cause d'appartenance à une coterie, allèguent que notre homme est né Philibert. Sur le terrain, Bé estimait que les témoins doivent être présumés dignes de foi, dépourvus de malice, de feinte ou d'hypocrisie. Mais de la sincérité on ne tire pas forcément la vérité. L'erreur qui semble décelable dans leur unanime témoignage résulte vraisemblablement de l'emprise inconsciente d'un récit antérieur à la réalité. Ils veulent se rappeler « Philibert » pour la raison que c'est un patronyme familier à leurs oreilles. Les témoins d'apparitions d'ovnis en ont vu parce qu'ils en avaient entendu parler, et la force de cette fiction est telle qu'elle se substitue à l'entendement. Quelques-uns, de surcroît, comptent des Philibert dans leur famille, chose touchante quand on considère qu'eux, petites gens éloignés des chaires de l'université, perçoivent inconsciemment l'honneur d'être apparentés à un savant pourtant décrié par ceux qui ont le loisir de mesurer sa réussite. La sagesse et la bonté dont il fit preuve à l'égard d'un jeune homme ayant fui en Saskatchewan d'âcres relents soudanais (*supra*, p. 75) n'auront pas été dispensées en vain : il existe encore en ce bas-monde de nobles âmes prêtes à rendre à César ce qui lui appartient.

De *phili* en *philo*, Philo(crate) Bé serait un pseudonyme[13] alliant le goût du sujet pour l'assonance et le penchant pour

13. Difficile de nier que nous sommes en présence d'un pseudonyme. Le commun des mortels adopte sans sourciller les nom et prénom dont l'acte

l'étymologie. On sait maintenant, par les carnets d'analyse produits publiquement pour la première fois grâce aux recherches d'Anne Legault, quel rôle a joué le prénom dans la constitution de la personnalité[14] de l'excellent homme. Philo/crate : de *φιλος* (*ami ;* verbe : *φιλειν*, *aimer*) et *κρατος* (*force*, *puissance*). Là où certaine psychanalyste[15] voit « l'amour de la force », le chiasme invite à lire « la force de l'amour ». Admettons que la porte onomastique bée quant au patronyme. Si cette béance autorise des jeux de mots, des vocalises caprines dont le philologue se gaussait, elle est la figure même de sa volonté de foncer dans le vide pour y jeter *des pleins*, la lumière de la science.

De quoi aurait l'air l'entreprise biographique si elle devait ignorer la piste matrilinéaire ? La mère de Philou (elle avait cette propension à user du suffixe d'oc quand elle s'adressait à un être aimé) avait apporté d'Europe l'amour de l'artichaut,

---

de naissance porte mention – une identification léguée par d'autres. Philocrate a quant à lui, comme le font les artistes, choisi de se doter d'une étiquette dénominatrice davantage conforme à ce qu'il entendait faire de sa vie. Au moment de s'inscrire à l'université, le sort en était jeté, puisque c'est sous le nom de Philocrate Bé qu'il le fait. La suite est plus compliquée : bien que la chose n'ait jamais été prouvée, on peut soupçonner que, tel un Simenon, il a signé des articles sous d'autres noms (Bertichaux, Philibert, Bergougnioux, Bourassa).

14. À moins que ce ne soit l'inverse. La conférence ici reproduite grâce aux bons soins de Pierre Ouellet établit cependant, *Genèse* oblige, clairement dans quel sens opère la relation entre le signifiant et le signifié.
15. Dans une conférence qu'elle donnait dans un bar où elle tenait, mal, une composition durassienne de son cru, la psychanalyste se lança dans une démonstration de french lacan-lacan au terme de laquelle *Philo* était l'envers de *folie*. Les cassettes transcrites ici (*supra*, p. 163-178) peuvent difficilement être considérées comme authentiques puisqu'elles sont au mieux la transcription d'un enregistrement forcément mené sur bandes larges. Tant de manipulations magnétophoniques laissent songeur.

estimant le frais printemps haut-mauricien propice à la culture de la verte (eh oui !) plante potagère[16], qu'elle proposait ensuite aux familles voisines (sans avoir pris soin au préalable d'en enseigner le mode de cuisson et de dégustation). Les résultats furent désastreux, on s'en doute un peu. Dans l'imaginaire populaire on associa l'artichaut au porc-épic et au barbelé des clôtures, d'où le sobriquet désobligeant qui affecta le jeune Bertichaux à l'époque du cours primaire. Les effets des pointes acérées sur la voûte palatale quant à la prononciation si caractéristique du *j* (ou *ge*) dans la région nous auront tout de même valu certaines des études[17] les plus convaincantes de la phonologie contemporaine. Mais la couleur de l'artichaut allait causer une blessure bien plus profonde qu'un picotement. Philocrate était viridiaire au point qu'il lui fallut s'allonger sur un divan. Après ça on s'étonnera de sa méfiance à l'égard des avocasseries...

Une méfiance tenace, un clou planté dans le cœur. À l'origine, une erreur de parcours – encore que le mot erreur ne convienne pas. Philocrate avait mené des études supérieures dans une discipline que la prudence interdit d'identifier, sinon qu'elle relèverait de l'ethnographie, selon les labels contemporains, ou des ATP (Arts et traditions populaires). Sa scolarité terminée, il eût été dans l'ordre des choses que l'étudiant Bé déposât sa thèse de doctorat, d'autant plus que la recherche était complétée et qu'il avait déjà jeté sur papier ce qu'il n'a jamais appelé autrement qu'un brouillon, mais dont on peut deviner qu'il égalait déjà en qualité et en maturité ce dont

16. Des maraîchers de Charlevoix ont de la même façon compris les avantages de notre désavantageux climat dès lors qu'il s'agit de la culture de l'artichaut.

17. Ne citons que le fameux « *R* apical et piquant au sud de l'Hudsonie » paru dans *Le courrier de Manouane*, vol. I, n° 1, [s. d.].

d'aucuns[18] se seraient satisfaits. La preuve en est que le travail, à peu de retouches près, a été publié aux presses universitaires, sous un autre nom[19], celui d'un professeur qui a obtenu sa titularisation grâce à cette contribution publique à son domaine. L'exaction avait été accomplie en un tournemain du fait que Philocrate avait troqué momentanément – mais ce moment dura plus de deux ans – les études pour le voyage et la vie de bohême.

Rétrospectivement, il est permis de prétendre que ce décrochage – comme l'on dit maintenant – l'a servi puisqu'il s'est initié aux techniques de survie en territoire étranger[20]. À court de ressources, il s'était embarqué sur un cargo battant pavillon libérien[21], « battant pavillon de l'aventure », disait-il assez plaisamment en évoquant ces mois de dérive. Il prenait à cette

18. Ses condisciples gardent un souvenir vague de son passage dans une faculté qu'il allait de toute façon délaisser au profit d'études désormais résolument engagées dans le champ du langage. L'examen des résultats scolaires permet de conclure à un parcours correct, mais sans nulle mesure avec l'éclat intellectuel que l'étudiant manifesterait quelques années plus tard dans le domaine qui l'a rendu célèbre.
19. Des menaces de poursuite pour diffamation ont dissuadé quiconque s'y est penché de faire la lumière sur la question. Une consultation auprès d'un juriste de renom confirme ce qui a jusqu'ici assuré l'impunité du Voleur d'idées – c'est le terme par lequel Bé désignait celui qui l'avait dépouillé du fruit de sa recherche : il serait difficile, voire impossible, d'établir la preuve que l'on s'est emparé du travail de Philocrate, tous les documents antérieurs à la publication du livre sous la signature du Voleur d'idées étant sujets à caution. Celui-ci a eu la patience de tout reprendre de sa main en faisant disparaître tout ce qui permettait de reconnaître la patte de Philocrate. Produirait-on en preuve des documents clairement attribuables à celui-ci que la défense alléguerait à la fabrication de faux et retournerait à coup sûr la poursuite contre le demandeur.
20. Dans ces techniques, il faut inclure la séduction.
21. Philocrate a laissé entendre qu'il y était à fond de cale, à titre de passager clandestin, mais cela semble relever de la fantaisie, d'une correction de l'histoire face à laquelle l'objectivité du biographe doit prévaloir. Il semble plus plausible d'avancer qu'il y avait fait office de marmiton, le couque

occasion conscience de la « profusion » – je le cite. L'univers qu'il avait connu, de la prairie en forme de cirque que délimitaient, sur trois côtés du moins, les montagnes l'ayant vu naître, jusqu'aux amphithéâtres de la faculté, tout lui était apparu étroit, en regard de ce que le voyage lui mettait sous les yeux. Mais, la sagesse venant comme un distillat patient, Philocrate comprenait, au gré de sa découverte des terres lointaines, que son terreau natal était autrement plus vaste que ce qu'il en avait soupçonné. Loin de chez lui, il s'imprégnait de mots inédits, il se berçait de sonorités nouvelles, il se rendait compte, *sur le terrain*, du rapport entre le signifié et le signifiant, comme le lui avait appris sa fréquentation de l'œuvre de Saussure, mais d'une manière qu'auraient réprouvée ses anciens maîtres, pour qui la nature arbitraire du signe linguistique[22] se traduit, hélas ! par une inattention généralisée à sa dimension affective, à sa motivation. On reconnaît là l'un des chevaux de bataille du futur professeur Bé.

Les impressions de voyage, le contact humain, si humain[23], dans les situations les plus quotidiennes (en partageant le jour,

---

en poste ayant été pris, avant de s'embarquer, d'un malaise consécutif à une discussion animée dans un trou du port lors de laquelle il avait eu à déplorer la perte de trois dents. Quoi qu'il en soit, on reconnaîtra dans cette aventure maritime un trait d'atavisme caractérisé (*supra*, p. 15)

22. De Varron à Saussure, on s'est interrogé sur la relation entre l'objet et la résolution sonore du mot qui le désigne : une table cherche-t-elle à se faire désigner sous ce vocable ? Y aurait-il une valeur expressive intrinsèque des sons ? Pourquoi l'initiale *f* est-elle si féconde dans le vaste registre sémantique qui recouvre *fable* (donc : *fabulateur*), *fantaisie*, *fantasmagorie*, *fantasme*, *fantôme* – on y revient toujours... –, *farfadet*, *faconde*, *fasciner*, *fada*, *façonner*, *fard*, *fanfaron*, *factice*, *fanatique*, *faramineux*, *farce*, *faribole*, *farouche*, *fatidique*, *fat*, *faillir*, *faux* (*fallacieux*, *falsificateur*), *faux derche*, *faux cul*, *faune* (nom masc.), *faute* (tenons-nous-en à *fa-*) ?
23. Comment ne pas glisser une allusion à Nietzsche, à propos duquel Bé pouvait se prendre de querelle avec ses interlocuteurs !

la nuit, la route, le zinc, la table et le gîte avec les êtres de rencontre) comme les plus abracadabrantes (le déraillement d'un train dans le Val d'Aoste), la vie nouvelle qu'offrait un séjour dans des lieux inconnus et dans un temps neuf[24], tout cela concourait à éveiller chez lui l'instinct du découvreur. Son détour universitaire lui était utile, certes, mais en aval : le contact établi, il pouvait mettre en œuvre les modes d'interrogation (de « cueillette ») qu'on lui avait inculqués.

Par une forme d'induction, décelable chez les sujets qui ont momentanément interrompu leurs études pour retourner à l'école avec le désir de se doter des outils leur permettant d'assouvir la passion qu'ils ont senti naître en eux, Philocrate jugea un jour qu'il devait retourner à l'université[25]. On l'avait spolié de ses recherches antérieures. L'idée l'effleura à peine de mettre en œuvre les procédures susceptibles de le rétablir dans sa propriété intellectuelle. Il était ardemment lancé dans sa voie[26], ce qui ne lui laissait pas « l'espace mental » pour recouvrer son bien. Il laisserait faire, il ne s'engagerait pas dans pareil combat, arbitré par la verte profession, alors que toute son énergie devait être investie dans ses... découvertes. En présence de son

24. Ayant couché à la belle étoile à proximité d'une base militaire, il eut ainsi à déguerpir au petit matin, alerté par les aboiements de dogues menés par des patrouilleurs. Quand il rapportait l'anecdote, il insistait pour parler de la compréhension nouvelle de la vitesse qu'il avait acquise de cette tribulation lors de laquelle il avait dû patauger dans un ru glacial dévalant de la montagne, afin de tromper le flair des molosses. Il avait supporté l'épreuve en se répétant, comme un mantra : « Je suis un vecteur. Je ne suis qu'un vecteur. » La ruse avait réussi : que peuvent en effet des monstres contre un vecteur ?
25. Il aurait pu la mépriser et y enseigner par la suite, la chose se voit parfois.
26. Ceux qui l'ont entendu raconter cet épisode de sa vie se rappelleront qu'il utilisait plus volontiers le terme « vocation », reliquat du cours classique au terme duquel certains maîtres auraient voulu qu'il prît le ruban blanc.

ancien directeur d'études, il afficherait toujours la morgue satisfaite de celui qui sait et qui préfère la magnanimité du silence au plaisir aigre de la divulgation. L'autre redoutait tellement ces séances qu'il renonça aux colloques et aux pince-fesses adjacents, s'abstint de publier quelque livre que ce soit, non plus que le moindre article, sous prétexte que cela était futile, ce qui lui valut l'admiration de plusieurs collègues, galvanisés par l'exemple et la profondeur politique de ce gourou de couloir. Enfin il s'entoura d'une armée de procureurs, que ses émoluments de doyen de la faculté lui permirent d'entretenir. L'homme cependant ne se remaria pas après son ruineux divorce en raison des leçons qu'il croyait tirer de l'événement le plus connu de la vie de Philocrate Bé.

* * *

Y a-t-il quelqu'un, en effet, qui n'ait entendu parler de l'histoire de l'escalier de Chambord ? Le doyen d'une faculté de l'université de Tours avait invité le professeur Bé dans l'espoir de le convaincre de joindre les rangs du corps professoral de son institution. La méthode de l'amphitryon à laquelle eut d'abord recours le grand intellectuel tourangeau semblait efficace : l'invité ne refusait rien de ce qu'on lui présentait dans une assiette, si bien que les premières soirées du séjour de Bé furent des sommets de bombance et de gaieté. Philocrate en profita pour raconter comment il avait un jour réussi à imposer un bénédicité lors du banquet annuel d'une société de bienfaisance et à insérer une invocation à la triade des divinités tutélaires de la table : Dionysos, Sainte-Beuve et dom Pérignon. L'assentiment du professeur convoité tardant à venir, derrière le paravent d'un humour douteux dans la bouche d'un tel homme, l'hôte choisit d'attaquer sur un autre front : en compagnie d'une jeune et jolie chargée de cours dont le patron de la fac s'était entiché, l'on se mit en quête de châteaux, de musées, de petits relais de campagne du doux pays balzacien et l'on poussa même une pointe chez François Ier à Chambord.

C'est là que les mauvaises langues entrent dans la partie, et il faut reconnaître que leur récit jette un bel éclairage sur la culture (d'aucuns diront l'érudition) que l'on attribue à Bé. Le doyen n'a pas sitôt commencé à vanter les qualités architecturales de l'escalier à deux hélices et aux coquineries que le noyau central, ajouré, permet, que Bé disparaît, et la jeune intellectuelle avec lui. Le Tourangeau, se trouvant seul, est soudain pris de panique, au point qu'il se croit la proie d'un de ces rêves dits « de l'escalier » : vous vous engagez dans un escalier et vous y faites la rencontre d'une jeune femme accorte, avenante, affable, aimable, avantageuse et tout et tout. Votre corps est traversé par la spirale de l'escalier, par des prodiges d'ascension, du coup les montgolfières vous envieraient. Panique ? L'ennui, c'est que le doyen tourangeau fait corps avec le *je* du rêve, mais qu'il sait que ce *je* est un autre. Rimbaud, toujours Rimbaud (un petit gars de Charleroi – c'est pas d'ici, ça). C'est donc avec les yeux de l'autre, le terrible Bé, que le doyen se représente la jeune femme, avec une concupiscence dont il ignorait le *a* et, surtout, le *b*. Une garantie de succès. L'homme défaille, on se précipite, il se réveille à l'hôpital, sous perfusion. De la chargée de cours, nulle trace. Bé ? Disparu sur le terrain à la recherche du vocabulaire nécessaire à la rédaction de son glossaire sur l'argot des échoppes et la « menuiserie mortuaire » (*supra*, p. 31-38). Qu'était-il arrivé au juste ? Rien assurément, des considérations cynégétiques (que Chambord suggère à satiété), le récit de voyages en Asie centrale où le délit d'amarcande est sévèrement châtié (*supra,* p. 114), et que sais-je encore.

Un doyen averti en vaut deux. Celui d'ici, maître ès extorsion, instruit des déboires de son pareil des bords de Loire, renonça à toute nouvelle union conjugale et ne jeta plus son dévolu sur quelque jeune universitaire que ce soit, de peur d'attirer l'attention de l'irrésistible Bé et la terrible et cocufiante vengeance que son misérable larcin d'antan lui faisait redouter. C'est d'ailleurs probablement lors de ce séjour français que Philocrate revint subrepticement à l'université donner sous un autre nom une conférence que ses collègues applaudirent à tout rompre. Il est vrai qu'il avait modifié son apparence : vêtements, chaussures à « semelles compensées » – comme l'on dit maintenant[27].

* * *

L'on a nié tout mérite à Philocrate Bé, sous prétexte que les mots se plaisaient à jaillir autour de lui et que la dialectologie ou l'archéologie du mot tenaient ainsi de la sinécure. Amateur de baseball, il se plaisait à comparer le travail de Roberto Clemente à celui de Ron Swoboda, dans les lointaines officines à ciel ouvert du champ droit. Swoboda, à l'époque où il exerçait son verdoyant métier pour les Métropolitains de New York, avait ravi le public en se saisissant de balles tapochées loin de lui par les Orioles de Baltimore, au terme de glissades qui lui emplissaient la bouche de terre et de galettes entières de gazon. Clemente semblait au contraire un joueur favorisé par la chance la plus crasse : une balle était-elle frappée dans sa direction qu'elle aboutissait directement dans son gant comme si celui-ci eût recelé un aimant, sans compter que jamais personne ne s'avisait de tester la vigueur du relais du sévère voltigeur. « Les balles n'arrivent pas par hasard dans l'aire de Clemente ;

27. Quand il relatait l'événement, il parlait plutôt de cothurnes.

sa connaissance du jeu est telle qu'il pressent où elles seront frappées et prend la juste position sur le terrain. Swoboda ? Un feu de paille. Divertissant, je vous le concède. » En fin de carrière, le grassouillet jeune homme vint divertir les placides partisans des Expositions de Montréal.

Alors qu'on le croyait à Péribonka, penché sur quelque fait de langage, Philocrate courait le vaste monde (Amarcande, Bessarabie, Bactriane), trouvant dans la paléographie et l'archéologie le salutaire dérivatif à la surchauffe intellectuelle du philologue. Le pensait-on lancé à la recherche des mythiques consonnes affriquées du Haut-Mississipi, qu'il se délassait plutôt dans les parcs de baseball – d'où l'application didactique susmentionnée. Sa connaissance des campus des États-Unis, du Haut-Canada et de Grande-Bretagne lui vaut d'ailleurs d'avoir inspiré des personnages dans des romans de Matt Cohen, Allison Lurie, Joyce Carol Oates et David Lodge, tel un Robert de Montesquiou[28] contemporain.

L'on sait maintenant, par l'examen des registres des hôtels qu'il a fréquentés au cours des dernières années, que Philocrate (rendu finalement paranoïaque par l'inlassable suspicion de ses collègues ? mû par son inaltérable besoin de s'amuser ?) changeait de nom, d'âge, à volonté. Compte tenu de cette vitalité phénoménale qu'il prétendait sublimer par la polygynie, la dissimulation servait à merveille ses plans, de même qu'une absence d'accent, phénomène sur lequel nous reviendrons après avoir soulevé un événement (une suite d'événements, à vrai dire) qui pourrait nous permettre de retrouver sa trace : le

---

28. Poète de deuxième ordre (on se rassure d'en être quand l'on considère que l'on compte cinq ordres, ainsi que le démontre Jean Florel, *notre* Jean Florel, qui appartient on ne peut plus éloquemment au cinquième), Robert de Montesquiou-Fezensac a inspiré Huysmans, Lorrain et Proust.

registre des visiteurs du Musée de la civilisation porte les traces (des signatures sous les quatre noms qu'on lui connaît, plus tôt révélés dans ces pages) de son passage réitéré au cours des semaines qui ont précédé la tenue de l'exposition *Une grande langue : le français dans tous ses états*. La chose se devait d'être soulignée.

* * *

La prudence avec laquelle il convenait de placer l'évocation des travaux et de la vie de Philocrate Bé interdit toute conclusion à ce stade préliminaire de l'enquête collective à laquelle nous nous sommes dodécagonalement livrés. Un dernier point doit être complété, qu'il convient d'appeler « le degré zéro de l'accent ». Philocrate Bé parlait le français sans le moindre accent, conjuguant à merveille ses origines françaises, sa naissance québécoise et les apports glanés en Guyane, à Madagascar et dans combien d'autres lieux où vit notre langue. Ses informateurs l'abreuvaient de leurs propos avec une totale confiance. À l'inverse, il pouvait simuler à la perfection toutes les variétés de français connues, se faisant passer pour Auvergnat auprès d'un Auvergnat avec autant de facilité qu'il jouait les Wallons devant un Martiniquais, ou les Québécois devant le même Auvergnat. Il a usé de ce redoutable talent dans la conduite de ses affaires sentimentales comme dans le patient relevé des mots en voie d'apparition. Grâce à lui, il est maintenant loisible de savoir que dans le grand pays du français l'on alisse, l'on cassounit et l'on débredine à qui mieux mieux.

Qui pourrait en dire autant ?

Autre mot de l'éditeur

Vous avez compris depuis longtemps, à son énormité, à quel joyeux canular vous aviez affaire. Aucun des auteurs ici conviés ne connaissait le texte ou l'idée derrière la contribution des autres participants. Seule importait la prescription suivante : doter la langue française d'un nouveau mot et l'associer à un énergumène du nom improbable de Philocrate Bé, grand renifleur de la langue. Une sorte de cadeau pour célébrer l'exposition *Une grande langue : le français dans tous ses états* du Musée de la civilisation. Un autre cadeau, le plus beau qu'un éditeur spécialisé dans la nouvelle puisse recevoir : la profusion, l'imagination formelle dont ont fait preuve les écrivains, au nom du plaisir.

Il n'est donc nul besoin de vous prévenir que toute ressemblance avec une personne existant ou ayant existé ne saurait être que le fruit du plus grand des hasards.

L'éditeur

ACHEVÉ D'IMPRIMER
EN OCTOBRE 2000
SUR LES PRESSES DE AGMV-MARQUIS
MONTMAGNY, CANADA